Marcel Chartrand.
D0552889

JUSQU'AU BOUT !

BORIS ELTSINE

JUSQU'AU BOUT !

Traduit du russe par
ANNA STEPANOFF

CALMANN-LÉVY

Titre original de l'ouvrage
ISPOVED' NA ZADANNOUIOU TEMOU

ISBN 2-7021-1874-7

Imprimé en France

AVANT-PROPOS DE L'AUTEUR

Depuis deux ans, plusieurs importantes maisons d'édition m'ont proposé d'écrire le récit de ma vie. J'ai toujours refusé : je savais que je n'avais ni le temps ni la possibilité d'entreprendre un si gros travail. Et puis j'estimais que le temps du bilan n'était pas encore venu.

Les événements, cependant, suivaient leur cours dans le pays. En quelques mois, quelques semaines, on vit se succéder des bouleversements dramatiques qui, naguère encore, auraient nécessité des décennies entières. Nous changions, nous nous détachions d'une époque dont je veux croire qu'elle ne reviendra jamais. C'est alors que je compris qu'un livre de souvenirs pouvait avoir un sens. Cédant aux prières, j'acceptai de parler de moi, de ce temps que j'avait vécu et qui s'engloutissait dans le passé.

Comme je le supposais, je travaillai pour l'essentiel la nuit et le dimanche. Et sans l'aide du jeune et talentueux journaliste Valentin Ioumachev, qui dut souvent se plier à mon rythme, sacrifier ses loisirs et ses heures de sommeil, je ne suis pas certain que ce livre aurait vu le jour.

Je veux exprimer également ma profonde reconnaissance à Valentine Lantseva, Lev Soukhanov, Tatiana Pouchkina, ainsi qu'à ma famille. Je remercie le destin de les avoir placés à mes côtés.

Mes droits d'auteur seront intégralement consacrés à

la lutte contre le sida dans notre pays où, par suite du manque de seringues jetables et autre matériel indispensable dans les hôpitaux, des enfants se trouvent contaminés. J'estime de mon devoir d'aider, dans la mesure de mes possibilités, à combattre ce fléau. Si cela permet de soulager des gens, j'en serai heureux.

B. E.

CHAPITRE PREMIER

25 mars 1989

CHRONIQUE DES ÉLECTIONS AU CONGRÈS DES DÉPUTÉS DU PEUPLE

*En principe, les jeux sont faits. Demain ont lieu les élections au Congrès des députés du peuple * [1] et, dans la première circonscription de Moscou, où Iouri Brakov se présente contre moi, les électeurs devraient, dans leur immense majorité (ils sont quand même six millions) voter pour moi. Tous les sondages d'opinion, officiels ou non (et les prévisions américaines) vont dans le même sens.*

Pourtant, une fois de plus, je n'arrive pas à fermer l'œil. Je tourne et retourne dans ma tête l'avalanche d'événements de ces derniers mois, de ces dernières semaines, de ces derniers jours. J'essaie de voir où j'ai pu me tromper, où, au contraire, j'ai visé juste. J'ai commis des erreurs, mais je ne peux que m'en réjouir. Car elles m'ont stimulé, m'ont poussé à travailler avec une énergie redoublée, que dis-je, décuplée.

Je suis ainsi fait qu'à tort ou à raison, je laisse toujours de côté, quand j'analyse une situation, les aspects positifs et concentre mon attention sur mes propres insuffisances, mes ratés. D'où, à quatre-vingt-dix pour cent, une constante insatisfaction à l'égard de moi-même.

Demain sera tiré le bilan de ces derniers dix-huit mois. Dix-huit mois de la vie d'un proscrit politique, aux titres

1. Les astérisques renvoient au glossaire placé en fin de volume.

*certes ronflants, tous précédés de ces deux petites lettres – « ex » : ex-secrétaire du Comité central du P.C.U.S. *, ex-premier secrétaire du comité du parti de Moscou, ex-membre suppléant du Politburo *... Ex-ex-ex... Sous Staline, on fusillait les ex-leaders politiques ; Khrouchtchev, lui, préférait les mettre à la retraite, et au temps de la stagnation*[1] *brejnévienne, il était de bon ton de les nommer ambassadeurs au diable vauvert. Dans ce domaine aussi, la perestroïka gorbatchévienne aura innové. Un « retraité » d'office a désormais une chance de réintégrer la vie politique.*

*C'est pourquoi, lorsque Gorbatchev m'a téléphoné pour me proposer le poste de ministre * de la Construction, j'ai accepté car, relevé de toutes mes fonctions, je n'avais rien à perdre. Gorbatchev a ainsi conclu notre entretien : « Mais je te préviens, je ne te laisserai pas te mêler de politique ! » Il croyait à ce qu'il disait, n'ayant pas un instant conscience qu'il avait lui-même créé, enclenché le mécanisme d'un processus démocratique où la parole du Secrétaire général cessait d'être dictatoriale et de régenter l'empire tout entier. Un temps nouveau était venu.*

Des innovations, il y en aura d'autres ! C'est là le charme de la période actuelle, son drame aussi. Car nul ne sait ce que sera demain, ni où nous porteront nos pas d'aujourd'hui. Lourd, gigantesque, obtus, le système bureaucratique se meut maladroitement, essayant de se protéger, de se préserver, alors qu'il s'ingénie à précipiter sa perte.

Ce système s'est trouvé, localement, investi d'une mission pas trop compliquée : faire en sorte que je sois battu aux élections. Autre chose eût été de doter chaque famille d'un appartement avant l'an 2000, ou d'assurer décemment l'approvisionnement du pays pour le plan quinquennal en cours. On n'en était pas là ! Il s'agissait simplement de régler son compte à un individu... en disposant,

1. Expression désormais consacrée pour désigner l'ère Brejnev.

*pour ce faire, d'une « remarquable » loi sur les élections, avec « réunions électorales * » pour éliminer les indésirables, « commissions électorales * » – création de l'appareil – dotées d'un pouvoir exorbitant et, par-dessus, un immense et docile système de propagande où les gens sont prêts à dire et écrire ce que l'on voudra ! Et malgré de tels atouts, ils ont encore trouvé le moyen de faillir à leur tâche. Leurs manigances, durant des mois, pour m'abattre – faits déformés, contrevérités, mesures sévères du plénum * du Comité central... – ont eu un effet inverse, me valant un soutien accru de la population.*

A la suite, d'ailleurs, de quelque nouvelle bévue dirigée contre moi – qui, une fois de plus, a suscité chez les Moscovites une vague de sympathie à mon endroit –, j'ai soudain clairement compris dans quel abîme nous étions et combien il nous serait difficile d'en sortir. Car ce sont les mêmes individus qui, dans le cadre de la perestroïka et de la glasnost, s'apprêtent à effectuer de nouveaux changements. Ils en ont pleinement le droit et n'ont pas la moindre intention de le céder à quiconque. Lorsqu'on saisit cela, on est vraiment tenté de baisser une bonne fois les bras.

Heureusement, au cours de la campagne, je rencontrais presque quotidiennement les électeurs. J'en tirais une immense énergie et la foi renouvelée que nous ne connaîtrions plus – que nous ne pourrions plus connaître – la vie qui, récemment encore, était la nôtre. C'en était fini de l'esclavage moral !

Et si, demain, je suis battu ? Comment faudra-t-il le comprendre ? Est-ce que cela signifiera que l'appareil aura été le plus fort, que l'injustice triomphe ? Allons donc ! Simplement, je ne suis qu'un homme, avec un tas de défauts. Un caractère difficile, obstiné... J'ai commis des erreurs, il m'est arrivé de me tromper, de sorte qu'on peut très bien ne pas m'élire. En admettant cependant qu'on me préfère Brakov, le candidat de l'appareil, on aurait tort de croire qu'il exécutera docilement la volonté de ceux qui l'auront hissé jusque-là. Il ne pourra, comme moi, comme n'importe quel autre, remplir son rôle de député du peuple qu'en se mettant à l'écoute de ce même peuple, et non de l'appareil, qu'en répondant aux demandes des gens et non de la nomenklatura.

Au fond, j'en suis sûr : les Moscovites voteront pour moi. Bientôt, je serai fixé...

« Si la situation d'octobre 87 venait à se reproduire, agiriez-vous de la même façon? »

« Boris Nikolaïevitch, votre intervention au plénum, pour le soixante-dixième anniversaire d'Octobre, était-elle une réaction de désespoir, ou bien escomptiez-vous le soutien de certains membres du Politburo? »

(Extrait des questions écrites posées par les Moscovites lors des rencontres, meetings et réunions de la campagne).

La séance du Politburo était terminée. Je regagnai mon cabinet de travail, pris une feuille de papier. Je m'accordai encore quelques instants de réflexion, pesai le pour et le contre, et me mis à écrire :

Cher Mikhaïl Sergueïevitch [1].

Il m'a fallu beaucoup de temps et d'efforts avant de me décider à vous adresser cette lettre. Un an et neuf mois se sont écoulés depuis le jour où vous m'avez proposé, avec le Politburo, de diriger l'organisation du parti pour la ville de Moscou, ce que j'ai accepté. Les raisons qu'il pouvait y avoir d'accepter ou de refuser n'entraient pas pour moi en ligne de compte. Je savais

1. Gorbatchev.

que d'immenses difficultés m'attendaient, que je devrais combler bien des lacunes, y compris dans mon travail, malgré l'expérience que je possédais déjà.

Cela ne m'effrayait pas. Je sentais que j'avais votre appui et je me suis mis à l'ouvrage avec une assurance dont je fus le premier surpris. Le bureau renouvelé, je me suis consacré à ma tâche avec abnégation et intransigeance, dans le respect des décisions collectives et de la camaraderie.

Et nous avons posé les premiers jalons. Certes, bien peu a été accompli, mais l'essentiel, me semble-t-il (sans vouloir me lancer dans une énumération), est acquis : l'état d'esprit de la plupart des Moscovites a changé. J'y vois aussi, naturellement, un effet du climat qui règne dans le pays. Et cependant, aussi étrange que cela paraisse, j'éprouve un sentiment d'insatisfaction croissante.

Je note aujourd'hui, dans les actes ou les déclarations de certains responsables de haut niveau, des choses que je ne remarquais pas avant. Les rapports humains, le soutien d'une partie des membres du Politburo et des secrétaires du Comité central notamment, semblent avoir fait place à une indifférence pour les problèmes de Moscou et à de la froideur envers moi.

Je me suis toujours efforcé d'exprimer franchement mon point de vue, même s'il ne concordait pas avec celui des autres. D'où, de plus en plus fréquemment, des situations regrettables. Pour être précis, il est apparu que mon style, mes manières directes, mon expérience ne m'avaient pas préparé à travailler au sein du Politburo.

Je ne peux passer sous silence quelques questions primordiales.

Je vous ai entretenu de certaines – en particulier du problème des cadres – de vive voix ou par écrit. J'ajouterai :

Le style de travail du cam. E. K. Ligatchev. J'estime (et je ne suis pas le seul) que son style ne convient pas, surtout actuellement, bien que je ne veuille pas par ailleurs minimiser ses qualités. Sa façon de travailler déteint sur celle du secrétariat * du Comité central. Sans y prendre garde, certains secrétaires de comités locaux, « périphériques », le copient. Ce qui est grave, c'est que le parti dans son ensemble y perd. Si l'on venait à comprendre le fond de l'affaire (si elle était portée à la connaissance du public), cela nuirait au parti. Vous êtes le seul à pouvoir y remédier, dans l'intérêt du parti.

Les organisations du parti se sont retrouvées à la traîne des changements grandioses que connaît le pays. Ici, la perestroïka (excepté dans la politique d'ensemble) est quasi inexistante. Cela fait boule de neige et l'on s'étonne ensuite qu'elle s'enlise au niveau des organisations de base.

Tout est conçu et formulé de façon révolutionnaire. Mais la mise en pratique, en particulier au sein du parti, continue de dépendre de la conjoncture locale; elle reste très limitée, bureaucratique, malgré de bruyantes déclarations. C'est là que commence la rupture entre la parole révolutionnaire et l'action du parti, éloignée de la démarche politique.

Il y a pléthore de papiers (on compte chaque jour les tomates, le thé, le nombre de convois... sans qu'aucun progrès essentiel ne soit accompli), de réunions où l'on débat de problèmes insignifiants, de tracasseries. Je sens une recherche systématique des aspects négatifs de ma gestion... afin d'ébranler mon « autorité ».

Je ne parle même pas d'éventuelles critiques venant de la base. Je suis inquiet à l'idée qu'on puisse ne pas oser les formuler. Il me semble que, pour le parti, il n'y ait de plus grand danger. Au total, je constate dans le travail d'Egor Kouzmitch [1], une absence de système et de culture. Ses références constantes à son « expérience de Tomsk [2] » deviennent insupportables.

En ce qui me concerne, ses attaques, depuis le plénum de juin [3] du Comité central, sans compter le Politburo du 10/IX, ont pris la forme d'une persécution en règle, je ne vois pas d'autre terme. La décision du Comité exécutif concernant les manifestations était du ressort de la ville et le problème semblait en bonne voie de règlement. Je ne saisis pas le rôle de la commission créée et vous prie de bien vouloir remédier à cette situation [4]. Il apparaît, au bout du compte, que Ligatchev

1. Ligatchev.
2. Ligatchev est nommé premier secrétaire du comité du Parti pour la région de Tomsk, en 1965.
3. 1987.
4. Quelques précisions sur cette affaire : Ligatchev avait créé, sans aucune raison, une commission du secrétariat du Comité central, chargée de contrôler la situation à Moscou (*N.d.A.*).

s'attache, de l'intérieur, non pas à faire fonctionner mais à dérégler le mécanisme du parti. Je ne tiens guère à évoquer son attitude à l'égard des affaires moscovites. Je suis simplement stupéfait qu'en deux ans, il ait pu ne pas s'enquérir une seule fois de ce qui se passe dans une organisation du parti comptant 1 150 personnes. Les comités du parti perdent leur indépendance (alors qu'elle est accordée aux kolkhozes et aux entreprises).

J'ai toujours prôné l'exigence, une rigueur sans faille, mais jamais je n'ai voulu la crainte que ressentent aujourd'hui, dans leur activité, nombre de comités du parti et leurs premiers secrétaires. Il n'y a entre l'appareil du Comité central et les comités du parti (et pour moi la faute en revient au cam. E. K. Ligatchev) ni cette intransigeance, ni cette camaraderie, sans lesquelles la création, l'assurance, l'abnégation dans le travail sont impossibles. C'est en cela, à mon avis, que se manifeste vraiment le « mécanisme de freinage » du parti. Il importe de réduire considérablement l'appareil (50 %) et d'en changer radicalement la structure. La courte expérience effectuée dans les comités de district de Moscou en démontre la nécessité.

Je suis personnellement accablé par les positions de certains camarades, membres du Politburo du Comité central. Intelligents, ils ont rapidement effectué leur propre perestroïka. Mais peut-on véritablement leur faire confiance? Pour moi, ils sont tout simplement « accommodants » et j'ai le sentiment, Mikhaïl Sergueïevitch, et je vous prie instamment de m'en excuser, que depuis quelque temps vous les trouvez, vous aussi, bien « commodes ». Je perçois de plus en plus fréquemment une volonté de se taire lorsqu'on n'est pas d'accord, certains, même, se mettant à feindre l'approbation.

Je ne suis pas, moi, un homme accommodant, j'en ai conscience. Je comprends aussi qu'il soit malaisé de résoudre le problème que je pose. Mais autant reconnaître dès à présent ses fautes. Car, étant donné la situation des cadres aujourd'hui, le nombre de problèmes liés à ma personne ne pourra que croître à l'avenir, risquant de gêner votre action. Ce que, très sincèrement, je ne voudrais pour rien au monde.

Je ne le voudrais pas non plus pour une autre raison : en dépit des immenses efforts que vous déployez, la lutte pour la stabilité conduirait à la stagnation, une situation que nous avons déjà connue (ou qui en serait proche). Or, cela est inadmissible. Voici donc quelques-unes des raisons qui me poussent aujourd'hui à formuler la demande qui suit. N'y voyez aucune faiblesse ni lâcheté.

Je vous prie de me relever de mes fonctions de premier secrétaire du comité du parti de Moscou, et de me libérer de mes obligations de membre suppléant du Politburo du Comité central. Considérez cette lettre comme une demande officielle.

Je pense qu'il ne me sera pas nécessaire d'en appeler directement au plénum du Comité central [1].

Avec mon respect,
Boris ELTSINE.
12 septembre 1987.

Je cachetai ma lettre, hésitai une dernière fois à l'envoyer; peut-être était-il préférable d'attendre encore un peu?... Puis je rejetai vivement toute idée de sauver ma tête, appelai mon assistant et lui remis l'enveloppe. Je n'ignorais pas que le courrier fonctionnait admirablement entre Moscou et la Pitsounda [2] où le Secrétaire général était en villégiature : dans quelques heures à peine, Gorbatchev recevrait ma lettre.

Et ensuite?... Me convoquerait-il? Me téléphonerait-il pour me prier de continuer tranquillement à travailler comme je l'avais fait jusque-là? Ma lettre de démission l'aiderait peut-être à prendre conscience de la situation critique des sphères dirigeantes du parti et de la nécessité d'envisager sans délai des mesures pour assainir, régénérer le Politburo.

Je décidai de ne pas jouer aux devinettes. J'avais brûlé tous les ponts derrière moi, je ne pouvais plus reculer. A mon habitude, je travaillai depuis l'aube jusque tard dans la nuit, sans vouloir m'avouer ma nervosité, mon angoisse. Personne, pas même ma famille, n'était au courant.

1. Ce qui serait la démarche normale. Mais l'auteur considère que si la décision est prise par Gorbatchev, le plénum l'entérinera.

2. Lieu de villégiature très connu et « huppé » sur les bords de la mer Noire.

Ainsi commença l'histoire qui devait s'achever par le quasi légendaire plénum d'octobre 1987, lequel tient dans ma vie une place particulière, et sans doute pas seulement dans la mienne.

On m'a souvent demandé par la suite si j'avais eu une raison précise d'écrire cette lettre, s'il y avait eu un « détonateur ». J'ai chaque fois, sans hésitation, répondu que non. En effet, les choses se sont comme accumulées elles-mêmes, peu à peu, sans que je m'en aperçoive. Il y avait bien eu, c'est vrai, cette séance du Politburo où avait été discuté le rapport de Gorbatchev pour le soixante-dixième anniversaire d'Octobre. Je m'étais alors permis une vingtaine d'observations, ce qui avait fait sortir Gorbatchev de ses gonds. Je m'en souviens, cela m'avait aussi mis hors de moi : j'étais stupéfait que l'on pût réagir ainsi, de façon presque hystérique, à la critique. Mais cet épisode n'avait absolument pas été déterminant.

Tout avait commencé plus tôt, dès ma nomination au Politburo. Je ne pouvais me défaire du sentiment que j'étais un cas à part et même un intrus parmi ces gens, que je ne m'inscrivais pas dans des rapports qui me semblaient incompréhensibles, et qu'ici, on avait coutume d'agir et de penser selon les idées d'un seul homme : le Secrétaire général. Dans cette assemblée qui porte le nom d'« organe collectif » du parti, on n'exprimait jamais, sinon sur des questions secondaires, un avis différent de celui du président. Cela s'appelait l'« unité » du Politburo. Or, je n'avais jamais caché mes opinions et je n'avais pas l'intention de changer en arrivant. Beaucoup en étaient irrités et les heurts furent nombreux avec Ligatchev, Solomentsev [1] et d'autres. Certains, au fond d'eux-mêmes, me soutenaient, compatissaient dans une certaine mesure, mais ils se gardaient bien de le montrer.

Mon refus du style et des méthodes de travail du Politburo mûrissait depuis longtemps : la différence, le

1. Alors membre du Politburo.

contraste étaient trop grands avec les appels et les mots d'ordre de perestroïka lancés par M. Gorbatchev en 1985. Bien sûr, le Politburo ne fonctionnait plus comme sous Brejnev; désormais, on restait longtemps en séance, le plus souvent à écouter les monologues du président. Gorbatchev aimait parler avec des circonvolutions, interminablement, sans oublier introduction et conclusion et en commentant presque systématiquement les propos des intervenants. On parvenait ainsi à créer un semblant de débat, tous, apparemment, s'exprimaient, mais rien ne s'en trouvait véritablement changé : le Secrétaire général, au bout du compte, agissait comme il l'avait décidé. Tout le monde le voyait, chacun poursuivait le jeu, y participait avec un certain talent. Moi, je ne voulais pas jouer. Je me montrais direct, abrupt. Certes, mes déclarations ne faisaient pas la pluie et le beau temps, mais elles alourdissaient considérablement l'atmosphère sans nuages des séances. Je me formai peu à peu une image précise de la situation : soit il fallait renouveler la majeure partie du Politburo en insufflant des forces vives, jeunes, en nommant des gens énergiques, capables de penser en dehors des clichés, et accélérer ainsi le processus de la perestroïka (dans ce cas je pourrais, sans changer de positions, poursuivre mes activités et faire bouger les choses dans tous les domaines); soit il me fallait partir.

Alors que Gorbatchev était en congé et que le Politburo était mené par Ligatchev, les heurts se multiplièrent. Ligatchev se comportait avec une invraisemblable assurance, prônant démagogiquement de vieux dogmes usés jusqu'à la corde. Et il fallait non seulement entendre ces discours – le moyen d'y échapper? – mais s'en inspirer pour agir à tous les niveaux dans le parti et le pays. Impossible de travailler dans ces conditions.

J'eus une nouvelle escarmouche avec Ligatchev pour des questions de justice sociale, de suppression des privilèges et des passe-droits. C'est alors, la séance terminée, que je regagnai mon bureau et écrivis ma lettre à Gorbatchev. Il rentra et me téléphona : « Il faut qu'on se voie prochainement. » Je ne savais trop comment interpréter ce « prochainement »... Il ne me restait qu'à attendre. Une semaine passa, puis deux. Pas la moindre invite à venir m'expliquer. Je me jugeai dégagé de mes obligations ; sans doute avait-il renoncé à me rencontrer, décidé de porter l'affaire devant le plénum du Comité central et de m'y libérer de mes fonctions de membre suppléant du Politburo.

Par la suite, les bruits les plus divers devaient courir sur cette affaire. M. Gorbatchev répéta à l'envi que j'avais rompu notre accord, que nous étions convenus très précisément de nous rencontrer après le plénum d'octobre, que j'avais sciemment décidé d'intervenir avant le délai fixé...

On annonça la date du plénum. Je devais préparer mon intervention, et aussi ce qui s'ensuivrait. Il va de soi que je ne cherchai pas à former un groupe de soutien avec les membres du Comité central qui pensaient comme moi, évaluaient la situation au parti et à la direction de la même façon que moi. L'idée m'en paraissait – et je n'ai pas changé d'avis – sacrilège. « Travailler » les futurs intervenants, prévoir qui parlerait de quoi, bref, nouer des intrigues, n'était pas dans ma nature. Beaucoup, pourtant, me dirent par la suite qu'il aurait fallu s'unir, mettre au point une stratégie, faire front ; peut-être cela aurait-il eu quelque effet. La direction aurait été contrainte de prendre en compte l'opinion, certes d'une minorité, mais au moins de plusieurs personnes. Je n'aurais plus été un exclu que l'on pouvait accuser de tous les péchés de l'univers.

Je n'en fis rien. Je ne prévins même personne de mon intention de prendre la parole au plénum.

Je ne nourrissais aucune illusion sur le soutien dont je pourrais bénéficier. Au mieux, ceux des camarades du Comité central avec lesquels j'entretenais de bonnes relations se tairaient. Moralement, je devais m'attendre au pire.

Je me rendis au plénum sans avoir véritablement préparé mon discours, me contentant de jeter sur le papier sept grandes thèses, les sept points que je voulais aborder et qui avaient été mûrement réfléchis.

L'ordre du jour de la séance était fixé – le projet du Comité central consacré au soixante-dixième anniversaire d'Octobre. Ce prétexte commémoratif ne me gênait aucunement. Je trouvais très bien qu'une fête ne donne pas seulement lieu à des discours interminables et solennels, abondamment applaudis, mais qu'à cette occasion, on évoque les problèmes qui se posaient. On devait par la suite me reprocher surtout d'avoir gâché une fête radieuse et pure.

Gorbatchev présenta son rapport. Tandis qu'il parlait, j'étais à la torture : allais-je intervenir ou non?...

Le discours de Gorbatchev touchait à sa fin. D'ordinaire, ce genre de rapport n'est pas soumis à discussion. Ligatchev se préparait à clore la séance. C'est alors que l'imprévisible se produisit. Mais citons, pour plus d'impartialité, le sténogramme du plénum.

CAM. LIGATCHEV, *président de séance.* – Camarades! Nous avons entendu le rapport. Quelqu'un a-t-il des questions? Qu'il les pose! Personne? Dans ce cas, il ne nous reste qu'à délibérer.

M. GORBATCHEV. – Le camarade Eltsine a une question.

CAM. LIGATCHEV. – Je demande l'avis de l'assemblée : est-il indispensable d'ouvrir la discussion?

DES VOIX. – Non.

CAM. LIGATCHEV. – Non.

M. GORBATCHEV. – Le camarade Eltsine a une déclaration à faire.

CAM. LIGATCHEV. – La parole est au cam. Eltsine, Boris Nikolaïevitch, membre suppléant du Politburo du Comité central du P.C.U.S. et premier secrétaire du comité du parti de Moscou. Je vous en prie, Boris Nikolaïevitch.

Et je montai à la tribune...

CHAPITRE II

13 décembre 1988

CHRONIQUE DES ÉLECTIONS

Ma décision était prise, j'ignorais si elle était juste : je me présenterais aux élections au Congrès des députés du peuple. J'imaginais sans peine que mes chances étaient loin d'atteindre les 100 %. La loi sur les élections donnait au pouvoir, à l'appareil, la possibilité de garder bien des choses en main. Il faudrait franchir de nombreuses étapes avant que le peuple puisse lui-même faire son choix. Le système de proposition des candidats, les « réunions électorales », les « commissions » où les apparatchiks du comité exécutif régnaient en maîtres, ne pouvaient qu'inciter au pessimisme. Car si je perdais, si je n'arrivais pas à devenir député, je voyais déjà avec quel enthousiasme et quelle jouissance la nomenklatura du parti me donnerait le coup de grâce. Le peuple n'aurait pas voulu de moi, le peuple ne m'aurait pas choisi, le peuple m'aurait mis en échec... Le peuple, en fait, n'aurait pas grand-chose à faire dans l'histoire, les fameuses « réunions électorales » n'étant certes pas le lieu où il pouvait exprimer sa volonté. Nul ne l'ignorait, de l'électeur de base à Gorbatchev lui-même. Ce n'était qu'un moyen de soutenir le système, pour éviter qu'il ne s'écroule, un os jeté à l'appareil de la bureaucratie et du parti.

Je pouvais ne pas me présenter, mes proches amis me

conseillaient de jeter l'éponge, le combat étant par trop inégal. Depuis un an et demi environ, le nom d'Eltsine était à l'index, j'existais sans exister. Il ne faisait pas de doute que si je descendais dans l'arène politique et participais à des rencontres avec les électeurs, à des meetings, des réunions, etc., la machine de la propagande s'abattrait sur moi de toute sa force, mêlant mensonges, calomnies, trucages et le reste.

*Il y avait un second point à ne pas négliger. Le système électoral en vigueur interdisait aux ministres d'être députés du peuple. En conséquence, si ma candidature était proposée, il me faudrait quitter mon poste et plonger dans l'inconnu. Dans les conditions actuelles, le Congrès des députés du peuple m'éliminerait sans doute lors des élections au Soviet suprême * d'U.R.S.S., et je ne participerais pas aux travaux du Parlement. Une perspective très concrète s'ouvrait ainsi à moi : celle de devenir, dans le meilleur des cas, un député au chômage. Par ailleurs, l'expérience prouve qu'un ministre renonce rarement à son portefeuille : si les députés du peuple sont nombreux, les postes ministériels sont rares.*

Je devais me décider.

Du pays tout entier des télégrammes commencèrent à me parvenir. D'énormes collectifs, de plusieurs milliers de personnes, me voulaient comme candidat. On aurait presque pu, rien que d'après ces messages, étudier la géographie de l'Union soviétique.

Les élections à venir étaient un combat. Une guerre des nerfs où les règles étaient faussées, où l'on vous attaquait brusquement par-derrière, où l'on ne négligeait aucun procédé, fût-il condamnable, pourvu qu'il fût efficace. Étais-je prêt, en toute connaissance de cause, à entreprendre ce long et harassant parcours préélectoral?

Je réfléchissais à haute voix, doutais, étais à deux doigts de renoncer, mais, curieusement, ma décision avait mûri depuis un certain temps. Depuis l'instant, peut-être, où j'avais eu vent de l'éventualité de ces élections. Bien sûr que j'allais me jeter dans ce tourbillon insensé! Il était vraisemblable que je m'y fracasserais une bonne fois le crâne. Je ne pouvais faire autrement.

« Quand avez-vous commencé à devenir un rebelle? »

« De qui tenez-vous votre caractère : de votre père ou de votre mère? Parlez-nous un peu de vos parents. »

« On dit que vous étiez un vrai sportif et que vous avez même joué dans une équipe de champions? Est-ce vrai, ou s'agit-il d'une légende? »

(Extrait des questions posées par les Moscovites au cours de la campagne.)

Je suis né le 1er février 1931 au bourg de Boutka, district de Talitsa dans la région de Sverdlovsk où, sans exception, avaient vécu mes ancêtres. Ils labouraient la terre, semaient le blé, bref, menaient l'existence de tout un chacun.

Mon père se maria au village. Il y avait là une famille Eltsine et une famille Staryguine – c'est le nom de ma mère. Peu après, leur vint un premier-né : moi.

Ma mère m'a raconté la manière dont j'ai été baptisé. Le district tout entier ne comptait qu'une petite église, avec un prêtre desservant plusieurs villages. Les naissances étaient alors en assez grand nombre et l'on baptisait une fois par mois. Cela représentait pour le prêtre une journée très chargée : parents, enfants, il y avait foule. La cérémonie se déroulait le plus simplement du monde. On plaçait une sorte de cuve pleine d'un liquide consacré auquel on avait ajouté quelques condiments, on y plongeait intégralement le bébé, puis on le ressortait, braillant, on le bénissait et on lui donnait un nom qu'on inscrivait dans le registre de l'église. Comme le voulait la coutume, les parents présentaient alors à l'officiant un verre de braga [1], de samogon [2], de vodka, chacun selon ses moyens...

Mon tour ne vint que dans l'après-midi. Le prêtre tenait déjà à peine sur ses jambes. Ma mère, Claudia Vassilievna, et mon père, Nikolaï Ignatievitch, me confièrent à lui. L'officiant me plongea dans la cuve – et de se mettre à discuter, à disserter avec l'assemblée, oubliant que j'étais dans l'eau... Mes parents, qui se tenaient à une certaine distance des « fonts baptismaux », ne comprirent pas de prime abord de quoi il retournait. Quand ils prirent conscience de la situation, ma mère bondit et, hurlant, me repêcha pour me tirer de là. On ramena le petit noyé à la vie... Je ne voudrais pas, en racontant cet épisode, donner l'impression que j'ai gardé de cet instant des rapports un peu particuliers avec la religion. Certes non. Il n'empêche que les choses se sont bien déroulées ainsi. Le curé, d'ailleurs, ne s'en émut guère. « Puisqu'il a supporté cette épreuve, c'est qu'il est le plus solide, je le baptise donc Boris », fut tout ce qu'il trouva à dire.

Voilà comment je devins Boris Nikolaïevitch.

Mon enfance fut très dure. Nous n'avions pas grand-chose à manger. Les récoltes étaient désastreuses. On poussait peu à peu les paysans vers les kolkhozes, la

1. Sorte de bière fabriquée à la maison.
2. Eau-de-vie maison.

dékoulakisation * battait son plein. Des bandes sillonnaient la région, il y avait presque chaque jour des fusillades, des meurtres, des pillages.

Nous vivions chichement. Une maisonnette de rien, une vache. Nous avions bien un cheval, aussi, mais il ne tarda pas à rendre l'âme. Dès lors, il nous devint impossible d'assurer les labours. Ainsi, comme tout le monde, nous entrâmes au kolkhoze... En 1935, nous perdîmes notre vache et la situation tourna à la catastrophe. Mon grand-père, qui avait alors dépassé la soixantaine, entreprit de travailler chez les uns, chez les autres, il construisait des poêles. Laboureur, il avait aussi des talents de menuisier, de charpentier, bref, il savait tout faire de ses mains.

A la même époque, mon père décida de s'embaucher sur un chantier, pour tenter de sauver sa famille. C'était la période de l'industrialisation. Mon père avait appris que non loin de chez nous, dans la région de Perm, on recrutait des gens pour construire le combinat de potassium de Beriozniki. La famille y déménagea. On mit dans la télègue [1] le peu qui nous restait, on s'y attela et on gagna la station, à trente-deux kilomètres de là.

Nous nous retrouvâmes à Beriozniki. Mon père fut pris comme ouvrier sur le chantier. On nous installa dans une de ces constructions typiques de l'époque, mais que l'on peut encore voir, parfois, aujourd'hui; un baraquement de bois et de planches, véritable nid à courants d'air. Un couloir commun et vingt minuscules pièces, pas le moindre confort, bien sûr, les toilettes dans la cour, l'eau aussi, que l'on prenait au puits. On nous fournit deux ou trois choses et nous achetâmes une chèvre. J'avais déjà un frère et une petite sœur. Nous dormions, les six – avec la chèvre – à même le sol, serrés les uns contre les autres.

Ma mère, qui savait coudre depuis son plus jeune âge, prenait des travaux à la maison. Elle avait un caractère doux, affable, elle aimait aider, habillait tout le monde,

1. Voiture de charge à quatre roues.

confectionnant tantôt une jupe, tantôt un manteau, pour les siens ou pour les voisins. Elle cousait la nuit. Elle ne demandait jamais d'argent, bien contente si on lui apportait une demi-miche de pain ou quelque autre nourriture. Mon père avait un caractère aussi abrupt que mon grand-père. Sans doute en ai-je hérité à mon tour.

Mes parents ne cessaient de se disputer à mon sujet. Mon père avait pour unique méthode d'éducation le ceinturon, et il me caressait les côtes avec ardeur à la moindre bêtise. Dès qu'éclatait un incident – avait-on abîmé le pommier du voisin, joué un tour au professeur d'allemand à l'école ou Dieu sait quoi encore –, il prenait sans mot dire son ceinturon. Jamais une parole n'était échangée entre nous dans ces moments-là. Seule ma mère pleurait, elle se précipitait sur lui en criant : « Ne le touche pas! » Mais mon père fermait la porte et m'enjoignait : « A plat ventre! » Je m'allongeais, la chemise relevée, le pantalon baissé, et, franchement, il y allait de bon cœur... Je serrais les dents, ne proférais pas un son, ce qui avait le don de l'exaspérer. Ma mère, cependant, s'insurgeait, elle lui arrachait le ceinturon des mains, l'obligeait à reculer, se plaçait entre nous. De fait, elle prenait constamment ma défense.

Mon père avait le génie de l'invention. Il rêvait, par exemple, de mettre au point un système automatique pour la pose des briques, il le dessinait, en concevait les plans, imaginait, calculait, revoyait son projet... C'était le grand rêve de sa vie. Personne, jusqu'à présent, n'a d'ailleurs réalisé un appareil de ce genre, bien que des instituts entiers ne cessent de se creuser la tête sur la question. Mon père me racontait souvent ce que serait son système, comment il fonctionnerait, posant la brique, le mortier, égalisant, comment il se déplacerait... Tout était clair, dans sa tête, esquissé dans les grandes lignes. Mais il ne put concrétiser son idée.

Il s'éteignit à l'âge de soixante-douze ans, alors que mes

grands-pères et arrière-grands-pères avaient tous dépassé les quatre-vingt-dix ans. Ma mère, elle, en a aujourd'hui quatre-vingt-trois. Elle vit à Sverdlovsk avec mon frère, qui travaille dans la construction, comme ouvrier.

Nous devions passer dix ans dans notre baraquement. Aussi étrange que cela paraisse, les gens étaient unis dans ces conditions difficiles. Il faut dire que l'isolation sonore était inexistante. Et lorsque, dans une des pièces, des réjouissances avaient lieu – une fête, un mariage –, lorsque quelqu'un faisait jouer le phono – nous avions deux ou trois disques pour tout le baraquement : je me souviens en particulier de la chanson *Chtchors avance sous l'étendard, à la tête du régiment* – la maison entière chantait. Disputes, conversations, scandales, secrets, rires, rien n'échappait à personne, on savait tout sur tous.

Si je hais tant ces baraquements, c'est sans doute que je me rappelle, aujourd'hui encore, combien la vie y était pénible. L'hiver, surtout, où nous n'avions aucun moyen de nous protéger du froid : nous n'avions pas les vêtements appropriés. La chèvre était notre salut : nous nous serrions contre elle, elle était chaude comme un poêle. Elle allait encore nous sauver pendant la guerre : elle nous donnait du lait bien gras; même s'il y en avait moins d'un litre par jour, cela suffisait à tirer les enfants d'affaire.

Et puis, nous gagnions déjà un peu d'argent. Chaque été nous partions, avec ma mère, dans un kolkhoze des environs : nous prenions quelques hectares de pré et fauchions, mettions en meules, faisions les foins, moitié pour le kolkhoze, moitié pour nous. Nous vendions ensuite notre part pour acheter, cent cinquante roubles, deux cents parfois, une miche de pain.

Ainsi se passa mon enfance. Rien de très joyeux, pas de gâteries ni de friandises, il fallait survivre, un point c'est tout.

A l'école, je me distinguais de mes camarades par mon activité, mon énergie, de sorte que, dès la première année et jusqu'à la fin de ma scolarité, dans les divers établissement où je suis passé je fus systématiquement élu délégué de classe. Je n'avais pas de problèmes pour les études, j'obtenais toujours la note maximale [1]; pour la conduite, en revanche, je n'avais pas de quoi me vanter : je me suis trouvé plus d'une fois à deux doigts de me faire exclure. J'étais un meneur, j'inventais toujours quelque chose.

En cinquième année, par exemple, nous avions tous quitté la classe en sautant par la fenêtre, du premier étage. Le professeur principal, que nous n'aimions pas, était alors arrivé, mais nous avions disparu, la salle était vide. Elle s'était précipitée chez le portier qui avait affirmé que personne n'était sorti. A côté de l'école se trouvait une petite remise, nous nous y étions installés et nous racontions un tas d'histoires. Puis nous avions regagné l'école et chacun avait eu droit à un zéro. Le professeur avait pris le registre et, tac, avait aligné les zéros, du haut en bas de la liste. Nous n'étions pas décidés à nous laisser faire. Qu'on nous punisse pour la conduite, d'accord, mais nos leçons, nous les savions et nous exigions d'être interrogés avant d'être notés. Le directeur est arrivé et a organisé, au pied levé, un véritable examen, nous questionnant deux bonnes heures. Nous savions tout par cœur, et répondions au quart de tour, même ceux qui, d'ordinaire, ne faisaient pas d'étincelles. Finalement, on a supprimé les zéros, ce qui ne nous a pas empêchés, il est vrai, d'avoir un deux en conduite. Il nous arrivait aussi, je le reconnais, de nous livrer à des frasques qui relevaient presque de la délinquance. A l'époque, nous étions très remontés contre les Allemands. Or, à l'école, c'était leur langue qu'on étudiait. Pauvre professeur d'allemand, elle en a bavé avec nous! Plus tard, j'ai éprouvé des remords : c'était une bonne enseignante, une femme intelligente, cultivée, et nous, dans un accès de révolte infantile, nous

1. Dans les écoles soviétiques, la notation va de 1 à 5 (note maximale).

lui infligions de véritables tourments. Nous plantions, par exemple, des aiguilles de phono dans sa chaise, la pointe en l'air. La prof s'asseyait, un cri retentissait. Nous prenions soin que les aiguilles dépassent à peine. Et, de nouveau, c'était le scandale, de nouveau le conseil de discipline, de nouveau les parents mêlés à l'histoire.

Ou encore, parmi nos bêtises préférées : il y avait une petite rivière, la Zyrianka; au printemps elle débordait, devenant assez importante pour qu'on y flotte le bois. Nous avions inventé un jeu : passer d'une rive à l'autre en courant de tronc en tronc. Le bois formait une masse compacte, de sorte que, si on calculait bien son coup, on avait une chance de la traverser. Car certains troncs basculaient au moment où on posait le pied et il suffisait d'hésiter une fraction de seconde pour que le bois descende au fond de l'eau. Il fallait sauter à toute allure d'un tronc à l'autre, en gardant l'équilibre. Une erreur, et c'était le plongeon dans l'eau glaciale, et pas moyen de mettre la tête hors de l'eau, avec tous ces troncs flottants. Avant de refaire surface, d'avaler une goulée d'air, on avait largement le temps de désespérer sauver sa peau.

On organisait aussi des bagarres, district contre district : armés de bâtons, de gourdins, ou simplement de leurs poings, soixante ou cent gars se cognaient dessus. J'étais toujours de la partie, et pourtant qu'est-ce qu'on encaissait! Quand deux rangées s'affrontent, deux véritables murailles, aussi futé qu'on soit, aussi costaud, on finit par en prendre plein la figure. J'ai gardé de ce temps un nez de boxeur – un coup de brancard de charrette. Avant de m'effondrer, j'avais juste eu le temps de me dire que j'étais fichu. J'avais pourtant fini par reprendre mes esprits et on m'avait traîné à la maison. On ne se battait pas à mort, on cognait dur, on y allait de bon cœur, mais dans de certaines limites. Cela tenait plus de la compétition sportive, une compétition particulièrement sévère.

J'ai quand même réussi à me faire renvoyer de l'école.

Je venais d'achever mes sept ans de scolarité obligatoire [1]. Dans la salle des fêtes de l'école, quelque six cents personnes étaient réunies, parents, professeurs, élèves. L'ambiance était joyeuse, animée. On remettait à chacun son brevet de fin d'études. La cérémonie se déroulait selon le scénario habituel... Jusqu'au moment où je demandai la parole. Un peu comme au plénum d'octobre du Comité central... Chacun s'attendait, bien sûr, que je prononce des paroles de remerciements. N'avais-je pas passé brillamment mes examens ? On me laissa aussitôt grimper sur la scène. Je remerciai les professeurs qui nous avaient apporté tant de choses utiles dans la vie, qui nous avaient inculqué le goût de penser et de lire. Puis je déclarai que notre professeur principal n'aurait jamais dû enseigner, se voir confier l'éducation d'enfants qu'elle « mutilait ».

C'était une atroce bonne femme. Elle nous frappait avec sa lourde règle, nous mettait au piquet des heures durant, pouvait humilier un gamin devant une gamine et inversement. Nous devions faire le ménage chez elle et récupérer des restes de nourriture dans tout le district pour le cochon de lait qu'elle élevait. Autant de choses que je n'admettais pas. L'immense majorité des élèves refusait de lui obéir, certains, pourtant, se soumettaient.

Bref, à cette réunion solennelle, je racontai qu'elle se moquait des élèves, bafouait leur dignité, s'ingéniait à les rabaisser jusqu'au dernier, forts, faibles, moyens, peu importait. Avec quelques exemples soigneusement choisis, je lui réglai son compte. Ce fut un beau scandale. Je semai la perturbation, gâchai la cérémonie.

Le lendemain, mon père fut convoqué par le conseil de l'école. On lui annonça qu'on me retirait mon brevet, que je recevrais à la place un « billet de loup », une petite feuille de papier où il serait indiqué que j'avais effectué mes sept ans de scolarité, mais que je n'avais « le droit

1. On pouvait ensuite, dans certaines conditions, faire trois ans d'études supplémentaires.

d'entreprendre une huitième année où que ce soit sur le territoire de l'Union soviétique ». Mon père rentra furieux et s'empara aussitôt de son ceinturon. Cette fois, j'arrêtai son bras. Jamais je n'avais osé. Et je lui dis : « Ça suffit ! A partir de maintenant, je me charge moi-même de mon éducation. » Et c'en fut terminé des nuits passées « en pénitence », c'en fut terminé des corrections à coups de ceinturon.

Je contestai la décision de l'école. J'entrepris des démarches : à la section d'éducation du district, à celle de la ville, partout... Si je ne me trompe, c'est à cette occasion que j'appris ce qu'était un comité municipal du parti. J'obtins qu'une commission d'inspection aille contrôler le travail de notre professeur principal, et cette dernière fut renvoyée de l'école. On finit pas me rendre mon brevet où, parmi mes excellentes notes, le mot « insuffisant » attirait l'œil dans la rubrique « discipline ». Je décidai de ne plus fréquenter cette école et m'inscrivis en huitième année dans un autre établissement portant le nom de Pouchkine, dont je garde aujourd'hui encore d'excellents souvenirs. Collectif irréprochable, professeur principal parfait – elle s'appelait Antonina Pavlovna Khonina –, ça, c'était une école !

C'est à cette époque que je commençai à faire beaucoup de sport. D'emblée j'avais été attiré par le volley-ball, j'aurais pu y jouer des journées entières. Il me plaisait de voir que le ballon m'obéissait, que je pouvais, dans un saut fantastique, rattraper les balles les plus incroyables. Je pratiquais aussi le ski, la gymnastique, l'athlétisme, le décathlon, la boxe, la lutte. Je voulais tout dominer, savoir tout faire. Mais le volley-ball finit par l'emporter, et je m'y adonnai très sérieusement. On ne me voyait pas sans ballon ; le soir, en me couchant, je le posais à côté de mon oreiller et m'endormais, la main dessus. A peine réveillé, je reprenais l'entraînement : et que je te fasse tournoyer la balle sur un doigt, et que je te la lance contre un mur ou contre le sol. Il me manque deux doigts à la main gauche, aussi avais-je mis au point une méthode spéciale, une position particulière de la main, d'où ma façon originale, non classique, de recevoir les balles.

Ces deux doigts, je les avais perdus dans les circonstances suivantes.

C'était la guerre, les gars de la région voulaient aller au front, mais nous, on ne nous laissait pas partir. Pour nous consoler, nous fabriquions des pistolets, des fusils, nous avions même réussi à faire un canon. Nous avions décidé de nous procurer des grenades pour les démonter, les étudier, savoir ce qu'il y avait à l'intérieur. Je pris sur moi de pénétrer dans l'église (qui servait de dépôt militaire). Je franchis de nuit les trois rangées de barbelés et, tandis que le soldat de garde était occupé ailleurs, je sciai le grillage de la fenêtre, me faufilai à l'intérieur, m'emparai de deux grenades RGD-33 à détonateur et, par bonheur, parvins à sortir sans encombre. J'ai eu de la chance, car si le garde m'avait vu, il aurait tiré sans sommation. Nous sommes partis à une soixantaine de kilomètres, en pleine forêt, pour démonter les grenades. J'eus tout de même la présence d'esprit de dire aux copains de s'éloigner d'une centaine de mètres. Et je commençai à jouer du marteau, à genoux sur le sol, la grenade posée sur une pierre. J'avais oublié le détonateur. En fait, je ne savais pas. Il y eut une explosion... et voilà pour mes doigts. Aucun des gars n'a été touché. En regagnant la ville, je m'évanouis à plusieurs reprises. A l'hôpital, où j'avais été accepté à la demande de mon père (j'avais un début de gangrène), on m'opéra, on me coupa deux doigts, et je revins à l'école avec une main bandée de blanc.

Je passais mes étés à essayer de me faire un peu d'argent. J'organisais aussi, pour les vacances, un voyage avec les copains. On essayait toujours de trouver une idée originale : remonter à la source de tel fleuve ou aller à la pierre Denejkine [1] (et d'autres choses du même genre). En gros, cela signifiait des centaines de kilomètres, sac au dos, quelques semaines passées au cœur de la taïga.

C'est ainsi qu'en fin de neuvième année, nous avons décidé de remonter jusqu'à la source de la Iaïva. Il fallait grimper longuement, à travers la taïga : nous savions, d'après la carte, que la source se trouvait près de la chaîne de l'Oural. Les provisions que nous avions avec nous n'avaient pas tardé à s'épuiser et nous mangions ce que nous ramassions dans la forêt : des noisettes – déjà mûres –, des champignons que nous faisions griller, des baies. Les forêts de l'Oural sont très riches et l'on peut y subsister un temps. Nous marchions depuis belle lurette, il n'y avait plus ni routes ni rien, il n'y avait plus que la taïga sauvage... Parfois, nous tombions par hasard sur une petite isba de chasseur où nous passions la nuit, mais, le plus souvent, nous fabriquions une hutte de branchages ou dormions à la belle étoile.

Nous avons fini par trouver la source : une source d'hydrogène sulfuré. Nous étions satisfaits, nous pouvions prendre le chemin du retour. Nous sommes descendus, sur quelques kilomètres, jusqu'au premier hameau. Nous étions déjà au bout du rouleau. Nous avons réuni le peu que nous possédions – un sac à dos, une chemise, un ceinturon –, sommes entrés dans une isba et avons tout donné au patron en échange d'une petite barque en bois à fond plat. Et vogue la galère; nul n'avait plus la force de marcher. Un beau jour, nous avons repéré au-dessus de nous, dans la montagne, une grotte. Nous avons décidé de faire une halte et d'aller jeter un coup d'œil. Nous avons pénétré dans la grotte, avons marché, marché et sommes ressortis en pleine taïga... Impossible de revenir au point de départ. Nous étions bel et bien perdus et notre barque

1. Montagne au nord de l'Oural.

avait disparu. Nous avons erré près d'une semaine dans la taïga. Nous n'avions rien pris avec nous et, par malheur, le coin était marécageux, avec de la jeune forêt qui ne nous offrait pas grand-chose en fait de nourriture; surtout, il n'y avait pas d'eau. Nous imprégnions une chemise d'eau marécageuse mêlée de mousse, la tordions et buvions le liquide qui s'en écoulait.

Nous avons fini par rejoindre la rivière et retrouver notre barque. Désormais, nous savions quelle direction prendre mais, à cause de l'eau impure que nous avions bue, nous avions attrapé la fièvre typhoïde. Tous sans exception. Nous avions plus de quarante, moi comme les autres, mais en tant qu'organisateur je m'efforçais de tenir bon. Je transportais mes copains dans la barque, les étendais au fond et rassemblais mes dernières forces pour ne pas perdre connaissance et diriger un tant soit peu notre embarcation qui descendait le courant. J'avais juste assez d'énergie pour puiser de l'eau dans la rivière, en donner aux copains, les asperger, car il faisait une chaleur épouvantable. Ils déliraient et je n'étais pas loin de les imiter. Près d'un pont de chemin de fer, je décidai qu'on finirait bien par nous remarquer. J'accostai et m'écroulai. On nous découvrit, en effet, on nous ramassa et on nous transporta en ville. Les cours avaient repris depuis un mois et on était, naturellement, à notre recherche.

La typhoïde nous valut presque trois mois d'hôpital. Il n'y avait pas de traitement particulier. Or, nous étions en dixième classe, la dernière année d'études et, à la moitié de l'année, je n'avais pratiquement pas mis les pieds en cours. A partir du troisième trimestre, je m'y attaquai sérieusement. Je m'informai du programme et, jour et nuit, je lus et étudiai sans relâche. Vint le moment des examens et je décidai de me présenter. Les amis qui avaient participé à notre dramatique équipée, avaient préféré renoncer.

Je me rendis à l'école pour les épreuves; là on me

déclara que c'était impossible, qu'on n'acceptait pas de candidats libres en dernière année, que je pouvais rentrer chez moi. Il me fallut encore une fois – mais je savais quelle était la marche à suivre – faire tout le circuit : section d'éducation du district, de la ville, comité exécutif, comité municipal du parti. J'appartenais alors à la sélection municipale de volley où l'on me connaissait, j'étais, au niveau scolaire, un des meilleurs dans plusieurs disciplines et, au niveau régional, champion de volley-ball. On finit par m'autoriser à me présenter, mais, dans deux matières, je n'obtins pas la note maximum. Malgré tout, il fallait essayer d'entrer à l'institut!

Adolescent, je rêvais de m'inscrire dans un institut de constructions navales, j'étudiais les bateaux, m'efforçais de comprendre comment ils étaient fabriqués, me plongeant dans des manuels très sérieux. Peu à peu, je m'étais senti attiré par la construction, sans doute parce que j'avais déjà travaillé sur des chantiers et que mon père était du métier; à cette époque, il venait d'achever une formation pour devenir contremaître et supervisait désormais tout un secteur.

Avant d'entrer à l'institut polytechnique de l'Oural, section construction, j'avais encore une épreuve à subir. Je devais aller trouver mon grand-père qui avait alors soixante-dix ans passés – un vieillard imposant, avec une énorme barbe, un esprit original – et qui m'avait dit : « Jamais je ne te laisserai devenir constructeur, si tu ne bâtis pas d'abord quelque chose de tes propres mains. Tu vas me construire une étuve. Une petite, dans la cour, avec une entrée. »

Effectivement, nous n'avions jamais eu d'étuve; les voisins en avaient une, nous non, bien que ce fût une tradition en Russie. Nous n'avions pas trouvé la possibilité de la faire. Grand-père avait été plus loin : « Attention, tu me montes une vraie construction en rondins, avec un toit. Tu dois tout réaliser seul, du début à la fin. Moi, je m'occupe simplement de régler, avec l'exploitation forestière, la question de la coupe du bois. Pour le reste, là encore, tu te débrouilles : tu débites les pins, tu prépares la mousse, tu nettoies, tu fais sécher, tu transportes les rondins – et il y avait quelque trois kilomètres jusqu'à l'endroit où il fallait construire l'étuve –, tu creuses les fondations, tu montes les murs, entièrement, jusqu'à la dernière poutre. Moi, je me contenterai de t'observer à distance. » Et, en effet, il ne s'approcha pas à moins de dix mètres, ce grand-père obstiné, têtu; il ne leva pas le petit doigt pour m'aider, alors que je me donnais un mal de chien. Surtout quand j'en vins à hisser les rangées de poutres supérieures, quand il fallut les traîner avec une corde, les tailler soigneusement à la hache, les agencer, numéroter chaque rondin et, une fois cela terminé, redéfaire et reconstituer l'ensemble, en colmatant avec la mousse séchée. Cette mousse, il importait de la tasser convenablement. Bref, je trimai tout l'été et j'eus juste le temps de gagner Sverdlovsk pour les examens d'admission... A la fin, grand-père me dit, avec le plus grand sérieux, que j'avais réussi l'épreuve et que je pouvais désormais me présenter à la faculté de construction.

Je n'avais pas vraiment préparé mes examens, à cause de cette étuve que je devais construire, mais je fus reçus relativement facilement, avec deux quatre et rien que des cinq dans les autres matières. Ma vie d'étudiant commençait, bouillonnante, palpitante. Dès la première année, je me jetai dans le travail social. Je fus bientôt président du bureau des sports, sur moi reposait l'organisation des manifestations sportives. Je jouais déjà au volley à un niveau assez élevé et, un an plus tard, j'étais dans la sélection de Sverdlovsk pour les matchs de première division, auxquels participaient les douze meilleures équipes du pays. Durant les cinq années que j'ai passées à l'institut, je n'ai pas cessé de jouer, de m'entraîner, de sillonner le pays pour les compétitions, ce qui représentait une énorme surcharge de travail... Nous occupions la sixième ou septième place, et si nous ne devînmes pas des champions, on nous considérait très sérieusement.

Le volley devait laisser dans ma vie une profonde empreinte; car je ne me contentais pas de jouer, j'entraînais aussi, quatre équipes : la deuxième sélection de l'Institut polytechnique de l'Oural, des femmes, des hommes. Au total je consacrais à ce sport quelque six heures par jour et ne pouvais étudier (je n'avais droit à aucun régime de faveur) que tard le soir ou la nuit. C'est à cette époque que j'ai appris à peu dormir et, aujourd'hui encore, j'ai conservé ce régime et ne dors guère que trois heures et demie, quatre heures...

Avant d'entrer à l'institut, je n'avais pas vu grand-chose de l'U.R.S.S., je n'avais jamais été à la mer, en un mot, je n'avais pas voyagé. Aussi, au terme de la première année, je décidai de m'offrir une grande tournée. Je n'avais pas un sou vaillant, ma garde-robe était réduite au minimum – un pantalon de survêtement, des chaussures de sport, une chemise et un chapeau de paille, voilà dans quelle tenue exotique je quittai Sverdlovsk. J'avais aussi une petite valise en faux cuir, minuscule, de vingt centimètres sur trente. On en trouvait sur le marché, à l'époque. Elle contenait une chemise de rechange et des vivres lorsque je parvenais à en gagner par mon travail. Ce voyage fut, bien sûr, tout à fait extraordinaire. Un autre étudiant de première année voulut partir avec moi, mais au bout de vingt-quatre heures il comprit qu'il ne tiendrait pas le coup et rebroussa chemin.

Je voyageais le plus souvent sur le toit d'un wagon, parfois dans le tambour ou sur le marchepied, parfois dans un camion. La milice me mettait régulièrement la main au collet. On me demandait où j'allais. Je répondais, par exemple : « Chez ma grand-mère, à Simferopol. » « Son adresse ? » Je savais qu'il y avait dans chaque ville une rue Lénine, je ne risquais pas de me tromper. Et on me laissait repartir...

Je m'étais fixé ce programme : je voyageais toute une nuit, j'arrivais dans une ville – je choisissais, naturellement, des villes connues – que je visitais pendant un jour ou deux. Je dormais dans les jardins publics ou les gares. Puis je repartais sur le toit d'un wagon. De chaque ville, j'envoyais une lettre à mes copains de l'institut.

Mon itinéraire était le suivant : Sverdlovsk – Kazan – Moscou – Leningrad – retour Moscou – Minsk – Kiev – Zaporojié – Simferopol – Eupatoria – Yalta – Novorossisk – Sotchi – Soukhoumi – Batoumi – Rostov-sur-le-Don – Volgograd – Saratov – Kouïbychev – Zlatooust – Tcheliabinsk – Sverdlovsk. Je passai un peu plus de deux mois à voyager et revins en haillons. Mes chaussures de sport n'avaient plus de semelles. Je continuais pourtant à les porter, plutôt pour la forme, pour « l'élégance » : je marchais presque pieds nus, mais les gens pouvaient croire que j'avais des chaussures. Mon chapeau ne ressemblait plus à rien, il fallut le jeter. Mon pantalon de survêtement était usé jusqu'à la corde. J'avais aussi, en partant, une belle montre ancienne, imposante, un cadeau de mon grand-père. Mais, comme mes vêtements, je l'avais perdue aux cartes. Et cela dès les premiers jours.

Cela s'était passé ainsi. Le pouvoir avait alors décrété une amnistie dans le pays, les détenus rentraient, voyageant sur le toit des wagons. Un jour, plusieurs me tombèrent dessus et me proposèrent de jouer à la boura [1]. Je n'y avais jamais joué de ma vie et, aujourd'hui encore, j'ai ce jeu en horreur. Étant donné les circonstances, je ne

1. Jeu de cartes très prisé en U.R.S.S.

pouvais pas refuser. Ils décrétèrent qu'on jouerait nos vêtements. Et ils eurent tôt fait de me déshabiller. J'étais battu à plate-couture. Pour finir, ils m'annoncèrent : « A présent, on joue ta vie. Si tu perds, on te jette en marche du toit et, salut! On s'arrangera pour que tu atterrisses bien comme il faut! Si tu gagnes, par contre, on te rend tout ce qu'on t'a pris. » La suite, j'ai du mal, à présent encore, à la concevoir. Ou bien je commençais à comprendre quelque chose à la boura – j'avais acquis de l'expérience en perdant tour à tour mon chapeau, ma chemise, mes chaussures, mon pantalon – ou bien ils me prirent en pitié, doués, soudain, de vagues sentiments humains. Pourtant, ils sortaient d'une colonie pénitentiaire et il y avait parmi eux de véritables assassins. L'amnistie, alors, était très large, et les colonies de ce genre étaient en assez grand nombre dans la région de Sverdlovsk. Quoi qu'il en soit, je gagnai. Comment? Je serais bien en peine de le dire. Ils me rendirent tout, sauf ma montre. Après cette partie, ils ne m'embêtèrent plus, je sentis même chez eux une sorte de respect. Si l'un d'eux se procurait de l'eau chaude, il la partageait avec moi. D'autres allaient jusqu'à me donner un morceau de pain. Ils se dispersèrent avant d'atteindre Moscou, sachant qu'ils ne pourraient traverser la capitale. Je poursuivis le voyage, presque toujours seul sur mon toit.

Je me souviens qu'à Zaporojié, alors que je criais famine, je rencontrai par hasard un colonel qui m'expliqua : « Je dois entrer à l'institut et je suis nul en mathématiques. Si tu me " chauffais " un peu, pour l'examen? » Il avait fait la guerre et n'en était, visiblement, pas revenu les mains vides car il avait, pour un colonel, un appartement drôlement bien aménagé. Je proposai un arrangement : on travaillerait vingt heures par jour environ, ne gardant que trois ou quatre heures pour dormir. Le colonel parut douter que nous puissions tenir ce rythme. Je rétorquai que sans cela, il était inutile de songer à préparer l'examen en une semaine. Je posai une condition : être nourri. Et bien nourri ! La femme du colonel ne travaillait pas et elle se mit à la tâche avec ardeur. Le colonel, quant à lui, remplit très honnêtement notre contrat. Et, moi, je mangeai à ma faim pour la première fois depuis mon départ. Je pris même du poids. Le colonel s'avéra être un homme persévérant, avec du caractère, il supporta le régime que je lui imposai. J'appris par la suite qu'il avait réussi son examen. J'avais, pour ma part, poursuivi mon voyage.

Mes études suivaient leur cours. A l'époque, les succès sportifs ne donnaient aucun passe-droit, comme c'est souvent le cas aujourd'hui. C'était même plutôt l'inverse : certains professeurs me « cuisinaient » particulièrement aux examens, jaloux de ma passion pour le sport, considérant que le volley me détournait de la science. Une fois, le Pr Raguitski, lors d'une épreuve de théorie de la plasticité, me proposa de traiter tout de suite le sujet, sans le moindre temps de préparation. Il me tint ce discours : « Camarade Eltsine, tirez un papier et allez-y. Un sportif comme vous n'a pas besoin de préparation. » Les candidats avaient sur leur table des cahiers, des notes. Car la théorie de la plasticité comporte des formules qui tiennent sur des pages entières, impossibles à savoir par cœur. Les manuels et polycopiés étaient autorisés. Mais le professeur avait décidé de tenter sur moi une expérience. Je lui ai tenu tête longtemps. Il a cependant fini, malheureusement, par me mettre un quatre. Il m'aimait bien, pourtant. Je lui avais un jour résolu un petit problème dont aucun de ses étudiants, depuis dix ans qu'il enseignait, n'était venu à bout. D'où sa sympathie pour moi. C'était un homme intéressant, intelligent, doué, nous le respections beaucoup. Ce qui ne l'a pas empêché de me coller un quatre.

Une autre fois, mon cher volley-ball a bien failli me pousser dans la tombe. Vint en effet un moment où, à force de m'entraîner six ou huit heures par jour et d'étudier la nuit – je voulais être excellent partout – je fus surmené. Comme par un fait exprès, j'attrapai une angine. J'avais plus de quarante de fièvre, mais je me refusais à manquer l'entraînement. Et mon cœur ne tint pas le coup. Un pouls à cent cinquante, un instant de faiblesse, et je fus transporté à l'hôpital. On me dit qu'en restant au repos complet j'avais une chance de me rétablir, mais pas avant quatre mois. Sinon, mon cœur était fichu. Je m'enfuis de l'hôpital au bout de quelques jours. Mes copains m'avaient fabriqué une sorte de corde avec des draps, je descendis ainsi de l'étage supérieur et me rendis aussitôt chez mes parents, à Berioznìki. Là, je me retapai doucement, mais je chancelais dès que je me levais et mon cœur battait à se rompre. Bientôt, pourtant, j'allai traîner du côté de la salle de sport, passant quelques minutes sur le terrain, rattrapant une ou deux balles avant de m'effondrer. On me transportait sur un banc où je restais allongé. La situation me semblait sans issue, je commençais à croire que je ne m'en sortirais pas, que j'aurais à jamais une faiblesse cardiaque et que je pouvais dire adieu au sport. J'étais décidé à me battre, à progresser. Je ne restai d'abord qu'une minute sur le terrain, puis deux, puis cinq. Au bout d'un mois, je tenais tout un jeu. De retour à Sverdlovsk, j'allai chez le médecin, une femme, qui me dit : « D'accord, vous vous êtes enfui de l'hôpital, mais on sent que vous vous êtes reposé, que vous n'avez, de tout ce temps, pas mis le pied par terre. Votre cœur est parfait. » Honnêtement, j'avais pris un énorme risque, j'aurais pu me détraquer définitivement le cœur. Mais je considérais qu'il ne fallait pas le ménager, que je devais au contraire le secouer un bon coup, ne pas céder.

Je dus rédiger mon mémoire de diplôme en un mois au lieu de cinq : j'étais sans cesse en déplacement pour le championnat national qui battait son plein; notre équipe allait de ville en ville. Quand je rentrai à Sverdlovsk, il me restait un mois avant la soutenance. J'avais pris comme sujet les « tours de télévision ». Il y en avait peu, à l'époque, je devais me débrouiller par moi-même. Je me demande aujourd'hui encore comment j'y suis arrivé. Je déployai une invraisemblable énergie physique et intellectuelle. Personne n'était en mesure de m'aider vraiment, le sujet était nouveau, en friche; plans, calculs, je devais tout faire, de A à Z. Et cependant, j'ai obtenu une mention « très bien » à la soutenance.

Ainsi prit fin ma vie d'étudiant. Cependant nous étions convenus, dans notre groupe – un groupe soudé, solide, avec des gars et des filles formidables – de passer nos vacances ensemble tous les cinq ans. Nous avons quitté l'institut en 1955. Trente-quatre années se sont écoulées depuis et pas une fois nous n'avons failli à la tradition! Un jour, nous avons même amené nos familles, nous nous sommes retrouvés à quatre-vingt-sept. Et pas question d'aller dans des maisons de vacances. Non, non, des vacances actives, sans confort particulier! Nous avons fait ainsi la taïga, l'Oural, l'Anneau d'Or [1]. A une autre occasion, nous avons pris des places de bateau et descendu la Kama, la Volga; ou encore nous avons campé à Guelendjik, au bord de la mer, suivi l'Enisseï jusqu'à l'île Dikson. Nous ne cessions d'inventer des voyages originaux et c'était toujours intéressant et drôle. Aujourd'hui encore, nous nous préparons à passer ensemble nos vacances en 1990. Chaque fois, un comité organisateur se constitue, qui prépare la prochaine rencontre. Durant les quinze pre-

1. Circuit touristique comprenant des villes telles que Zagorsk, Souzdal, Vladimir... où l'on trouve les plus beaux vestiges de l'architecture russe traditionnelle.

mières années j'en fus le président, mais lorsque je devins premier secrétaire du comité régional du parti, mes amis décidèrent de me libérer de cette tâche.

Nous avons instauré entre nous des relations incroyablement chaleureuses et sincères. J'en veux pour preuve que, quand je me suis retrouvé dans la situation dramatique qui suivit le plénum d'octobre 1987, toute la bande m'a apporté son soutien. Pas de doute, ce sont là de vrais amis!

CHAPITRE III

19 février 1989

CHRONIQUE DES ÉLECTIONS

La première étape était franchie. J'avais réussi à passer à travers le filtre de la « réunion électorale ». A présent, mon élection ne dépendait plus que de la volonté du peuple. C'était déjà une victoire. Pas définitive, mais presque.

Ma candidature avait été proposée par deux cents circonscriptions environ. J'étais essentiellement soutenu par de grosses usines, des entreprises, des collectifs de plusieurs milliers de personnes. Des chiffres qui en disent long.

*Mais ces propositions ne signifiaient rien encore. Organisées, conduites et dominées par l'appareil, les « réunions électorales » permettaient d'éliminer les indésirables. La plupart de ces réunions se composaient de ce qu'on appelle des « représentants des collectifs * de travail », pour la majorité d'entre eux des secrétaires du parti, leurs adjoints et d'autres membres auxquels on avait fait la leçon au point de les terroriser. Il était clair qu'on pouvait manipuler à l'envi un public de ce genre, et des quatre coins du pays des messages de protestation parvenaient à la commission centrale des élections, dénonçant les « réunions électorales » qui usurpaient le droit du peuple à de vraies élections. Les concepteurs et metteurs en scène du spectacle des élections au Congrès* *des députés du peuple d'U.R.S.S., se frottaient les mains, heureux que leurs plans, sur lesquels ils avaient sué sang et eau, se réalisent si magnifiquement.*

Ils avaient pourtant fait une erreur d'évaluation. Leur projet ne marchait pas partout. L'idée ne les avait manifestement pas effleurés que même un secrétaire de comité du parti pouvait regimber et voter comme il l'entendait, selon ce que lui dictait sa conscience, qu'un membre docile de collectif pouvait, sur son bulletin, laisser un autre nom que celui exigé de lui.

La première « réunion électorale » à laquelle je décidai de participer, se tenait dans la ville de Beriozniki, dans la région de Perm. J'avais vécu dans cette ville, des gens s'en souvenaient, le nom d'Eltsine, aussi, était connu, mon père ayant travaillé là de nombreuses années durant. Bref, plusieurs collectifs de Beriozniki proposaient ma candidature et j'avais une grande chance de passer. A condition que les organes du parti ne parviennent pas à paralyser complètement la « réunion ».

J'adoptai une stratégie assez inhabituelle. Une fois le dernier avion pour Perm parti de Moscou, je m'envolai pour Leningrad où m'attendaient des camarades comptant parmi mes supporters et partisans. Ils me conduisirent à l'aérodrome militaire où se trouvaient aussi des gens de mon bord, qui m'offraient leur aide désintéressée. C'est ainsi que je décollai à destination de Perm, dans un avion-cargo à hélice qui vrombissait et rugissait à vous rendre sourd, coincé entre une bombe à ailettes et un obus. Nous atterrîmes à l'aube, accueillis par des personnes de confiance, et nous filâmes directement à la « réunion électorale » qui allait commencer. Mon apparition causa un choc aux organisateurs, car les émissaires du comité régional du parti n'étaient pas encore arrivés. J'exposai mon programme, répondis aux questions orales ou formulées sur de petits billets. Cela se passa le mieux du monde et, lorsqu'on en vint au vote, pour être franc, je ne m'inquiétais plus. L'atmosphère était telle que, de toute évidence, je parviendrais ce jour-là à franchir le premier obstacle sur le chemin des élections. J'obtins une majorité écrasante. Je pouvais regagner Moscou.

Ensuite, commencèrent les « réunions électorales » dans la capitale. En dépit de ma victoire à Beriozniki, je décidai de prendre part aux réunions dans les circonscriptions de Moscou. Je voulais sentir l'ambiance, tenter de comprendre le mécanisme de l'influence exercée sur les gens par le pouvoir. Ce fut pour moi une excellente école.

*Je dois préciser que je retirais systématiquement ma candidature des circonscriptions où se présentaient des hommes honnêtes, dignes, que je respectais. Ainsi, dans le quartier Oktiabrski, A. Sakharov était candidat. Je lui téléphonai pour l'informer que je me désistais en sa faveur. En fin de compte, il fut élu par le biais de l'Académie des sciences, qui avait ce pouvoir en tant qu'organisation sociale *.*

*Chaque « réunion électorale » m'apportait une nouvelle expérience. Et quand la salle semblait froide, je trouvais encore plus intéressant de me battre pour l'emporter. Je sentais, je voyais presque les gens lutter pour surmonter l'état quasi hypnotique qui était le leur, tant ils tremblaient devant la direction et le Praesidium * tout-puissant.*

Très caractéristique fut la « réunion électorale » dans le quartier Gagarine. Il y avait là des candidats solides, l'écrivain et publiciste Iouri Tchernitchenko, le général Dmitri Volkogonov, historien de la guerre, le réalisateur Eldar Riazanov, le cosmonaute Alexis Leonov – dix personnes au total. Chacun, dans son intervention, pria l'assemblée de retenir les dix candidatures, afin que le peuple pût ensuite choisir lui-même, aux élections.

Il y avait, dans les discours des candidats, une force, une émotion, ils étaient convaincants, et la salle commença à se partager, se morceler, jusqu'à être presque unanime à refuser le droit qu'on lui offrait, si gracieusement, d'éliminer les indésirables.

Alors, ce fut terrible! Le Praesidium se mit à se moquer ouvertement des gens, à inventer toutes les ruses possibles. N'importe quoi, pourvu que cette décision de garder les dix candidats ne passe pas. D'ordinaire joyeux, content, optimiste, Eldar Riazanov était, ce soir-là, sur le point d'exploser; des électeurs s'emparaient du micro pour stigmatiser le Praesidium, et le public scandait presque : « Nous exigeons le maintien de toutes les candidatures. » Ce jeu scandaleux du Praesidium et ce combat de la salle contre la direction aux ordres, programmée, se prolongea jusqu'à deux heures du matin. Et, finalement, le peuple l'emporta. Les candidatures au complet furent inscrites sur les bulletins de vote. Je rentrai de cette réunion à la fois soulagé – la justice, le bon sens avaient triomphé – et horrifié : quelle terrible, quelle impitoyable machine le pouvoir faisait peser sur nous! Une construction monstrueuse et subtile, une création de Staline et des siens.

« Est-il exact qu'à votre sortie de l'institut, vous ayez travaillé sur un chantier comme ouvrier? Qu'est-ce que cela pouvait bien vous apporter? »

« On prétend qu'à Sverdlovsk vous avez été traîné devant les tribunaux. Racontez-nous ce qui s'est passé. »

(Extrait des questions posées par les Moscovites au cours de la campagne).

Une heure après ma soutenance de diplôme, j'étais dans le train : j'allais à Tbilissi pour le championnat d'U.R.S.S. Je passai l'été en compétitions : championnat, tournoi des établissements d'enseignement supérieur à Leningrad, coupe d'U.R.S.S. à Riga. Je rentrai le 6 septembre et me présentai aussitôt sur le lieu de travail où j'étais affecté, le trust Ouraltiajtroubstroï [1].

Comme à tout diplômé de l'enseignement supérieur, on me proposait un poste de contremaître dans la construction industrielle. Je répondis que c'était prématuré. Au cours de mes études, j'étais parvenu à la conclusion que, même si les professeurs de l'Institut polytechnique de l'Oural étaient d'un bon niveau, certains chargés de cours

1. Construction de tuyauterie lourde de l'Oural.

– coupés de la production – enseignaient leur matière de façon trop académique, sans faire le lien avec le monde du travail. Je considérais que ce serait une grave erreur d'accepter d'emblée de diriger un chantier, des hommes, sans avoir mis la main à la pâte. Et je n'ignorais pas que je passerais de sales moments si le moindre chef d'équipe était à même, volontairement ou non, de me rouler dans la farine du simple fait que ses connaissances à lui reposeraient sur du concret.

Je résolus de consacrer une année à assimiler douze spécialités, toutes liées à la construction. Une par mois. Je travaillais un mois dans une équipe de maçons, je posais des briques, selon une méthode, simple d'abord, puis de plus en plus compliquée.

Je faisais un plein temps et demi pour accumuler plus vite de l'expérience. Les ouvriers se moquaient un peu de ce jeune spécialiste qui voulait tant « aller au peuple », mais ils m'aidaient, m'encourageaient, me soutenaient moralement.

A la fin du mois, une commission compétente décernait un grade, d'ordinaire le troisième ou le quatrième. Je fus bientôt maçon et bétonneur professionnel. Le travail de bétonneur, je dois l'avouer, me coûta de nombreux efforts ; j'étais solide physiquement, mais je trouvais très difficile de courir à toute allure sur des échafaudages élevés et étroits en poussant une brouette de béton liquide. Si la charge penchait, le centre de gravité se déplaçait, et il m'est arrivé plus d'une fois de faire un plongeon de trois mètres avec ma brouette. Sans grand dommage, heureusement. Et je finis tout de même par me débrouiller parfaitement. Ensuite, pendant un mois, je transportai du béton dans un camion-benne ZIS-585. Je me souviens qu'un jour (je n'avais pas, à l'époque, le permis de conduire), mon ZIS, qui n'était pas de première jeunesse – il avait au bas mot trois cent mille kilomètres – cala au beau milieu d'une voie de chemin de fer. J'entendais le train arriver, et à bonne vitesse. C'était un passage non protégé. Il était clair que le train allait débouler d'une seconde à l'autre, pulvériser mon camion, et moi avec. C'est alors que je pensai au starter. Il suffisait de l'enclencher, pour que le camion fût pris de convulsions. J'effectuai ainsi quelques petits bonds fiévreux. Mais déjà le train klaxonnait, hurlait, grinçait de tous ses freins. Il était évident qu'il ne pourrait pas s'arrêter, il fondait droit sur moi de sa gigantesque masse. Je ne cessais de jouer du starter, encore et encore, ébranlant le camion par minuscules secousses, et voici qu'il quittait les rails de quelques centimètres, pendant que le train passait, m'effleurant à peine.

Je descendis de la cabine, m'assis sur le remblai, et il me fallut un bon moment pour reprendre mon souffle. Je portai ensuite mon béton à destination, racontai aux gars que j'avais bien failli y rester et ils me félicitèrent : j'avais eu le bon réflexe. Ou alors il fallait sauter, mais j'aurais dû répondre du camion. Il valait encore assez cher et je n'avais pas d'économies. Je n'en ai pas plus aujourd'hui. Cinq roubles symboliques déposés sur un livret de caisse d'épargne au temps de mes études, voilà toute ma richesse.

Puis je me fis charpentier, menuisier, vitrier, plâtrier, peintre en bâtiment. C'était dur, mais je n'avais pas le choix.

Alors que je travaillais comme conducteur de grue, il m'arriva une aventure assez éprouvante pour les nerfs. On construisait un immeuble d'habitation pour l'Ouralkhimmach [1]. Un soir, je quittai mon travail, après avoir, me semblait-il, tout bien vérifié. J'avais coupé le courant, mais j'avais oublié une opération : la grue (c'était une BKSM-5, 5A), lorsqu'elle était arrêtée, devait absolument être fixée aux rails par des sabots spéciaux. Je ne l'avais pas fait, soit que cela me fût sorti de la tête, soit que je

1. Abréviation pour Appareillages chimiques de l'Oural.

n'eusse pas été au courant. Nous logions près de l'immeuble en construction. Durant la nuit, une tempête éclata, il se mit à tomber des cordes, le vent se déchaîna. Je me réveillai et pensai, horrifié, à la grue. Je jetai un coup d'œil par la fenêtre et vis qu'elle se déplaçait lentement. Tel quel, en caleçon je crois, je me précipitai pour l'atteindre au plus vite. Dans l'obscurité, je trouvai l'interrupteur, branchai la tension. Je grimpai fébrilement l'étroite échelle métallique, tandis que la grue glissait imperturbablement vers l'extrémité du rail. Elle risquait de s'abattre, en miettes. Je bondis dans la cabine, mais on n'y voyait goutte. Je réfléchis à toute allure et eus l'heureuse idée de relâcher le frein qui bloquait la flèche. Aussitôt, elle se tourna dans le sens du vent, cessant de lui donner prise, et la vitesse diminua. Je mis alors la marche arrière au maximum. La grue ralentit peu à peu et stoppa finalement à quelques centimètres de l'extrémité du rail. Ce fut un moment terrible. J'arrêtai le monstre, descendis et fixai les sabots. Je ne pus, après cela, fermer l'œil de la nuit, incapable de me calmer. Longtemps, par la suite, je fis des cauchemars; je me voyais grimpant sur la grue et me fracassant avec elle.

Je travaillai ainsi une année et acquis mes douze spécialités. J'allai ensuite trouver mon chef de secteur et lui annonçai que j'étais désormais prêt à devenir contremaître. On m'envoya sur différents postes. Je construisis les ateliers de l'Ouralkhimmach, une usine de béton armé, les ateliers de l'usine Verkh-Issetski [1], des bâtiments auxiliaires, des foyers, des logements, un palais de la culture, des jardins d'enfants, des écoles, des internats, un tas de choses.

Mon travail de contremaître se passait plutôt bien, avec,

1. Importante usine métallurgique de Sverdlovsk.

naturellement, quelques incidents. Il me fallut, par exemple, déclarer la guerre à la fauche, qui avait la vie dure. Les ouvriers du bâtiment, malheureusement, en avaient pris l'habitude et lorsque j'entrepris de contrôler la quantité de béton utilisé, celle de tel ou tel matériau, les difficultés commencèrent. La situation se régularisa cependant peu à peu, les gens finirent par comprendre que j'avais raison, et puis la conscience des travailleurs n'était pas un vain mot. Les choses se tassèrent.

Les épisodes complexes, ardus, comiques ne manquaient pas. Nous devions travailler, par exemple, avec des détenus. D'emblée, je décidai de briser la tradition voulant qu'on leur allouât le salaire qu'ils exigeaient et non celui qu'ils méritaient réellement. A la fin du premier mois, je calculai le volume de travail et les salaires en rapport. Ces derniers s'avérèrent plus de deux fois inférieurs à ce que les détenus avaient coutume de toucher.

Aussitôt, je reçus dans ma petite pièce de contremaître, la visite d'une grande brute armée d'une hache. Le colosse la brandit, la suspendit au-dessus de ma tête, en disant : « Tu vas nous bricoler les ordres de paye comme il faut, comme on l'a toujours fait avant toi, petit gars! » Je répondis : « Non. – Alors, dis-toi que je n'ai rien à perdre, que je peux t'abattre comme un chien avant que t'aies le temps de faire ouf. » Je voyais à ses yeux qu'il était en effet capable de me fendre le crâne sans ciller, le plus tranquillement du monde.

Je pouvais essayer de trouver une échappatoire ou tenter de me colleter avec lui, bien qu'il n'y eût guère la place dans la pièce et que la hache fût suspendue au-dessus de moi. Je compris que je devais le surprendre. J'avais une voix forte, qui portait, surtout dans une pièce comme celle-ci... Et je braillai tant que je pus, brutalement : « Fous-moi le camp! » Il abaissa soudain sa hache, la lâcha, tourna les talons et, le dos voûté, sortit sans mot dire. Difficile de savoir quel déclic s'était produit, à cet instant, dans sa cervelle.

Je dois préciser que je n'ai jamais juré de ma vie. A l'institut, les gens pariaient avec moi qu'en un an, je finirais par lâcher une grossièreté. Je gagnais toujours, simplement parce que je n'avais pas l'habitude de ce vocabulaire. Et cela n'a pas changé aujourd'hui, je suis même encore plus strict sur ce chapitre.

Je fus nommé responsable de secteur sur un chantier vraiment unique en son genre : une gigantesque filature de laine peignée. C'était un énorme bâtiment de dix étages, fait de constructions métalliques assemblées, évoquant un squelette. Il était déjà ancien, la rouille avait fait son œuvre, mais un décret avait été promulgué, relatif au développement des industries légères, et on avait décidé d'en achever la construction. Je fus chargé de cette tâche. Je logeais au foyer du Khimmach [1]; chaque matin, je parcourais à pied les dix-douze kilomètres qui me séparaient de mon lieu de travail. Je partais vers six heures et, en général, j'étais à mon poste à huit heures.

Il pouvait y avoir sur ce chantier un millier de personnes et, quand la municipalité s'en mêlait, on atteignait les deux mille. L'affaire tournait vingt-quatre heures sur vingt-quatre. En hiver, on construisait un château d'eau en béton, avec un réservoir en hauteur pour l'eau. Quand on bétonnait, il était hors de question de s'arrêter ne fût-ce qu'une heure, on réchauffait le béton pour pouvoir travailler. Jour et nuit, j'étais à côté du château d'eau. Je demeurai sur ce chantier jusqu'à l'achèvement complet des travaux. Une fois tout bien terminé, alors que l'usine tournait déjà, le bâtiment se mit soudain à vaciller et l'énorme carcasse métallique, avec son revêtement en béton, se déporta sur un côté. Il fallut stopper les machines. Je fonçai à l'Institut polytechnique trouver le professeur Bytchkov. Nous refîmes ensemble les calculs et en vînmes à la conclusion qu'il y avait une erreur de

1. Abréviation d'Ouralkhimmach, Appareillages chimiques de l'Oural.

conception : le support du revêtement de béton armé était insuffisant à assurer la stabilité de l'édifice. Nous découvrîmes une seconde raison : lorsqu'on mettait en marche les métiers à filer, dont le mouvement s'effectuait toujours dans le même sens, leur amplitude coïncidait avec celle des vibrations du bâtiment qui commençait à tanguer. La solution de ce problème fut assez simple à trouver : on déplaça les métiers de manière à supprimer les vibrations. Pour renforcer le support en revanche, il fallut rouvrir, réarmer, rebétonner et j'en passe. Là, on en a réellement bavé !

Je fus ensuite nommé ingénieur en chef au centre de direction n° 13. Le responsable en était Nikolaï Ivanovitch Sitnikov, un énergumène assez spécial – et je pèse mes mots ! – têtu, hargneux. Son entêtement confinait parfois au despotisme pur. Nos rapports étaient étranges. Il venait soudain me trouver, râlait, me passait un savon. Moi, de mon côté, si j'estimais avoir raison, je n'en faisais qu'à ma tête, refusais de me soumettre. Cela le rendait fou. Si nous étions en voiture et que je m'avisais de le contredire sur un sujet quelconque, il arrêtait aussitôt le véhicule et me jetait : « Descends ! – Pas question. Conduisez-moi au moins à un arrêt de tramway. » Nous restions figés une demi-heure, une heure. Finalement, il cédait, de peur d'être en retard à un rendez-vous, il claquait la portière et me déposait au tramway. Ou encore, il me convoquait et me couvrait d'injures : et j'étais ceci, cela, il y avait telle ou telle chose que je n'avais pas faite comme il faut. Il s'emparait d'une chaise, moi d'une autre, et nous nous affrontions. Je lui disais : « N'oubliez pas que si vous esquissez le moindre geste, j'ai des réflexes plus rapides, je frapperai donc le premier. »

A plusieurs reprises, il posa au comité de ville du parti

la question de mon renvoi, alors que j'étais déjà chef au centre de direction. Mais je m'entendais bien avec le collectif, nous avions fait du bon travail ensemble, et le comité refusait de me mettre dehors. Le deuxième secrétaire était à l'époque Fiodor Mikhaïlovitch Morchtchakov, un homme intéressant, intelligent, qui, à plusieurs reprises, me tira d'affaire.

Une fois, Sitnikov réussit à m'infliger dix-sept blâmes en un an. Un record! Le 31 décembre, je rassemblai mes blâmes et allai le trouver. Je tapai du poing sur la table et l'avertis : « L'année prochaine, au premier blâme, je fais un scandale. Pensez-y. » Le 2 janvier, j'en avais déjà un, sous prétexte que nous n'avions pas travaillé le 1er. Le 1er janvier est férié, naturellement, mais Sitnikov estimait, lui, que nous n'aurions pas dû chômer. Je décidai de ne pas me laisser marcher sur les pieds. J'entamai la tournée des instances concernées. Et le blâme sauta. Par la suite mon supérieur se montra plus prudent.

Une autre fois, il me traîna devant les tribunaux. Il voulait me coincer sur une irrégularité dans la comptabilité. Le plaignant était, pour le trust, le comptable en chef. Je devais répondre personnellement. C'est ainsi que je me retrouvai au banc des accusés du tribunal de district, à essayer de démontrer qu'il n'y avait, dans l'affaire rien d'illégal, de criminel. Le juge, un homme de quarante-cinq ans, était, fort heureusement, intelligent. Il conclut le verdict par ces mots : « Il peut, il doit y avoir dans l'activité de tout responsable, une part de risque. L'essentiel est qu'elle soit justifiée. Dans le cas présent, le risque pris par Eltsine était justifié. La cour a donc décidé de l'innocenter complètement et de faire acquitter les frais de justice par le plaignant, à savoir le trust Ioujgorstroï [1]. » C'était un coup sérieux, à la fois pour le comptable en chef et pour Sitnikov. Quant à moi, ce procès, au fond, me stimula. Le comptable, il est vrai, n'oublia pas l'humiliation subie au

1. Construction urbaine du Sud.

tribunal et, étant membre du comité du parti au sein du trust, essaya de me jouer un sale tour au moment de mon entrée au parti.

Parmi les innombrables questions qui me furent alors posées, il y eut celle-ci, venant de lui : « A quelle page et dans quel tome du *Capital*, Marx évoque-t-il les rapports de marché ? » J'aurais parié qu'il n'avait jamais ouvert un volume de Marx, qu'il eût été bien incapable de répondre lui-même à la question et n'avait pas la moindre idée de ce qu'étaient les rapports de marché. Et je lançai aussitôt, mi-plaisantant mi-sérieux : « Tome II, page 387. » Je le débitai d'une traite, sans réfléchir. Il eut alors ce commentaire judicieux : « Bravo, tu connais bien Marx. » Et je fus accepté au parti.

L'arbitraire de notre directeur me poursuivit jusqu'à ce qu'on me nomme ingénieur en chef dans un combinat plus important que son trust.

Peut-être vaut-il la peine d'évoquer encore ce blâme particulièrement sévère qui me fut infligé, avec mention sur le livret du parti, au bureau du comité de ville. Je venais d'être promu chef à la direction de la construction. Mon prédécesseur était un incroyable je-m'en-foutiste, ivrogne de surcroît. Tout ce qu'il avait pu bâcler, bousiller, il l'avait fait, y compris la construction d'un internat scolaire. Lorsque je pris mes fonctions en septembre, on travaillait encore au rez-de-chaussée, alors qu'il devait y avoir trois étages. Il était clair que le projet était enterré d'avance et que, quoi qu'on fît, on ne pourrait achever les travaux pour la fin de l'année. Et voilà qu'au début de l'année suivante, j'entrai au parti. On me remit solennellement ma carte et, le lendemain, le bureau du comité de ville se réunit pour le bilan annuel. Et j'entendis soudain cette proposition : « Mettons, pour l'exemple, un blâme particulièrement sévère à Eltsine, avec mention dans son livret. »

Je montai aussitôt à la tribune et répliquai : « Camarades membres du bureau (et il y avait du monde) ! Essayez de comprendre : on m'a remis hier ma carte du parti. Tenez, la voici, encore toute chaude. Et, dès aujourd'hui, vous proposez de me mettre un blâme, à moi, un communiste d'un jour, avec mention sur mon livret, parce que l'internat n'a pas été terminé à temps. Il y a ici des gens du chantier, ils vous le confirmeront : il était impossible de tenir les délais. » Mais ils s'entêtèrent : cela servirait de leçon aux autres. Sitnikov, n'y était sans doute pas pour rien. Ce fut un rude coup.

Je croyais sincèrement aux idéaux de justice que prônait le parti, j'avais adhéré tout aussi sincèrement, étudiant à fond les statuts, le programme, les classiques, relisant des ouvrages de Lénine, Marx, Engels. Et c'est ainsi que l'on me traitait au comité de ville... Le blâme fut levé au bout d'un an, mais la mention demeura dans mon livret jusqu'à ce qu'on renouvelle mes documents du parti. Alors, seulement, mon dossier redevint vierge.

La réflexion sur les aspects négatifs de l'intervention du parti dans les problèmes économiques est extrêmement récente. A l'époque, les gestionnaires et, à plus forte raison, les gens du parti, trouvaient cela légitime. Moi aussi, j'estimais que c'était naturel, et je ne m'étonnais pas lorsque je recevais des convocations à plusieurs réunions de comités de district en même temps. Il va de soi que j'essayais de me défiler, mais l'existence de ces assemblées, où l'on résolvait, à coups de sermon et de blâme, toutes sortes de problèmes économiques et autres, semblait dans l'ordre des choses et ne suscitait ni remises en cause ni questions. L'essentiel était de ne pas tomber sur un apparatchik local trop casse-pieds qui, par stupidité ou folie des grandeurs, risquait de vous empoisonner la vie. Je me souviens d'être entré en conflit avec le premier secrétaire du comité de district du parti, Babykine, celui-là même qui allait devenir premier secrétaire du comité régional de Sverdlovsk et, à la XIXe Conférence du parti, enverrait un billet stupide pour dénoncer Volkov, lui aussi de Sverdlovsk, qui avait pris ma défense.

Je reçus brusquement un télégramme téléphoné de Babykine, m'enjoignant de me présenter à la réunion pour telle heure. Je m'étonnai du ton employé – un ton de grand seigneur ou de goujat, je ne saurais le qualifier – et ne répondis pas. Et puis, n'avais-je pas calculé, un jour, que j'avais été convoqué par vingt-deux organisations à la fois, depuis les sept comités de district du parti et les comités exécutifs correspondant aux chantiers où nous travaillions, jusqu'au comité régional du parti ? Comme il était impossible d'être partout en même temps, nous nous arrangions au mieux : tantôt je téléphonais et reportais une des rencontres, tantôt j'envoyais mes adjoints, bref, on s'entendait à l'amiable. Et là, ce ton étrangement autoritaire... Je reçus bientôt un deuxième télégramme téléphoné, un troisième, enfin Babykine m'appela en personne : « Ayez la bonté de m'expliquer pourquoi vous n'assistez pas aux réunions organisées par le premier secrétaire du comité de district du parti. » Je répondis que je ne voyais pas pour quelle raison il me faudrait être présent justement à ses réunions à lui, quand j'étais, au même moment, convié à des assemblées du même genre par d'autres comités de district, pour quelle raison je devrais lui accorder la préférence. Il prit très mal la chose : « Vous aurez de mes nouvelles ! Et, croyez-moi, vous finirez bien par venir ! » Je répliquai qu'après de telles paroles, il pouvait être sûr qu'il ne me verrait pas. Et c'est ce qui se produisit. Il eut beau faire, je ne cédai pas. Et il avait l'amour-propre sensible ! Il n'a pas changé aujourd'hui.

Après mes fonctions de chef au centre de direction, on me proposa le poste d'ingénieur en chef d'un important combinat de construction qui venait d'être créé, avec une grosse usine, un collectif de plusieurs milliers de personnes qui, par la suite, ne fit qu'augmenter. On envoya bientôt le responsable du combinat à la retraite et on me nomma à sa place. C'est ainsi qu'encore assez jeune – j'avais trente-deux ans –, je pris la tête d'une énorme entreprise.

Ce fut une période difficile. Il fallait à la fois faire tourner l'usine, introduire de nouvelles technologies et une méthode de construction accélérée, à la chaîne. Nous tentâmes alors une expérience de construction d'immeuble de quatre étages en cinq jours, et nous la réussîmes. Puis vint une seconde expérience : nous construisions un quartier et décidâmes de faire passer les grues d'un immeuble à l'autre, sans les démonter, ce qui nous permettait un important gain de temps. Nous proposâmes d'autres solutions intéressantes techniquement, et notre combinat se mit à remplir régulièrement le plan. Nous commençâmes alors à fabriquer des vêtements spéciaux, avec le sigle de la maison, DSK [1], des vêtements faits sur mesure pour chaque ouvrier et chaque ouvrière. Cela plut beaucoup et généra, dans le personnel, l'esprit d'entreprise.

Certes, on ne s'amusait pas en fin d'année ou en fin de trimestre, quand il fallait travailler quasiment vingt-quatre heures sur vingt-quatre. Je rendais fréquemment visite aux équipes de nuit, surtout aux équipes de femmes.

Les gens, dans l'ensemble, me trouvaient dur. Et c'était vrai. Je l'ai dit, je n'usais pas de grossièretés et m'efforçais de ne pas élever la voix, que j'avais déjà assez forte comme cela; mes grands arguments pour faire respecter la discipline étaient mon absolu dévouement au métier, une exigence et un contrôle de chaque instant, la volonté, enfin, de convaincre les ouvriers que j'étais équitable. C'est en travaillant mieux qu'on vit mieux, parce qu'on est plus apprécié. Un travail de qualité, réellement professionnel, ne passe jamais inaperçu, de même que la malfaçon et le je-

1. DomoStroïtelny Kombinat : Combinat de construction d'immeubles.

m'en-foutisme finissent toujours par être remarqués. Si on donnait sa parole, il fallait la tenir et, si on y manquait, on devait en répondre. Ces principes clairs, simples, créaient, me semble-t-il, un climat de confiance dans le collectif.

Nous avions, par exemple, un menuisier extraordinaire, un certain Mikhaïlichine. Une fois, je lui dis : « Tirez-moi d'affaire, Vassili Mikhaïlovitch, j'ai une nuit devant moi, demain la commission d'État vient constater l'achèvement des travaux, les portes sont prêtes, peintes, mais il faut les changer de place : les charnières ont été montées à l'envers par ces bousilleurs de l'usine. Ils ne perdent rien pour attendre mais, pour le moment, il faut nous sauver la mise. » J'ajoutai : « Les planchers sont peints, il ne faut pas les abîmer, c'est un travail délicat, minutieux, un travail d'orfèvre; et tout doit être fait pour que demain, à la première heure, il ne reste qu'à donner un coup de pinceau aux charnières. » Je lui laissai ainsi de l'occupation pour la nuit et, quand j'arrivai à six heures du matin, il mettait la dernière main à la porte d'entrée. J'avais pris avec moi mon poste à transistor, je le lui donnai. Nous nous sommes embrassés, nul n'avait besoin de parler. Pouvait-il, après cela, me tenir rigueur de l'avoir fait trimer toute une nuit?

Une autre situation critique : alors que la filature évoquée plus haut était quasiment prête, on s'aperçut, littéralement à la veille de la livrer clés en main, que, par négligence et je-m'en-foutisme là encore, on avait omis de creuser quelque cinquante mètres de passage souterrain pour relier deux corps de bâtiments. C'était incroyable mais vrai. Il y avait bien, quelque part, un plan prévoyant ce passage, seulement on l'avait perdu. Il apparut au dernier moment que le passage n'existait pas. Or, la filature était une réalisation de prestige, un exemple pour la ville et le pays tout entier : elle devait produire six millions de mètres de tissu par an. On réunit aussitôt un brain-trust et on envisagea la meilleure façon d'organiser le travail. La consultation prit une demi-heure au maximum. Tout était minuté : les travaux de terrassement de telle heure à telle heure, puis le bétonnage, les finitions, ici on envoyait telle équipe, là telle autre. Un excavateur commençait à creuser la tranchée, un second prenait le relais, puis un troisième. J'étais sur le terrain, je ne le quittais pas un seul instant. Pas de perte de temps, c'était organisé au millimètre près... A six heures du matin on goudronnait déjà ce maudit passage, tout était achevé, nous avions réussi.

Ou encore, ce qui peut paraître un détail : je rendais visite à l'équipe féminine de nuit, je bavardais de choses et d'autres avec les ouvrières, leur donnais un coup de main pour poser des papiers peints, peindre des fenêtres. Et cela nous remontait le moral, aux filles et à moi ! En outre, cela m'aidait : je m'informais ainsi de ces petits riens, de ces problèmes insignifiants qui, si la direction n'est pas au courant, finissent par prendre des proportions fantastiques et deviennent insolubles. Des miroirs dans les vestiaires, des coupons pour une robe quand on avait bien travaillé, de petits cadeaux achetés – parfois de mes deniers – ou prévus par le syndicat – autant de choses qui créaient une tout autre atmosphère entre le chef et ses subordonnés.

Je travaillais depuis quatorze ans à la production quand on me proposa de diriger la section * construction au comité régional du parti. Cette offre ne m'étonna guère : je m'étais toujours beaucoup consacré au travail social. J'acceptai sans enthousiasme particulier. J'avais de bons résultats en tant que responsable du combinat : mon collectif remplissait infailliblement le plan, tout fonctionnait et j'avais un salaire très convenable. Je gagne aujourd'hui, au Soviet suprême, moins qu'il y a vingt ans. Je risquai pourtant le coup. J'avais envie de faire un nouveau pas en avant. Mais je ne vois pas bien, à présent encore, où il m'a mené.

CHAPITRE IV

21 février 1989

CHRONIQUE DES ÉLECTIONS

Je n'arrive pas à y croire. Je suis, moi, Boris Eltsine, officiellement candidat de la circonscription nationale de Moscou. Il s'est produit ce à quoi, au sommet, on s'opposait avec un tel acharnement.

Le nom de I. Brakov, directeur général des usines ZIL[1]*, sera en compétition avec le mien, sur les bulletins de vote.*

Procédons par ordre... La « réunion électorale » avait pour mission de me blackbouler. Il y avait dans la salle un millier de personnes, dont deux cents soutenaient les dix candidatures en présence, le reste se composant d'électeurs dociles, triés sur le volet et soigneusement instruits de ce qu'ils devaient faire.

On savait à l'avance l'issue de la rencontre : le parti avait deux candidats en vue, I. Brakov et le cosmonaute G. Gretchko. Mon seul espoir était de retourner l'assemblée, de parvenir à imposer les dix candidatures, de manière à avoir une chance réelle. D'emblée, sur mon initiative, les dix prétendants avaient lu une lettre aux participants, leur demandant d'œuvrer dans ce sens. Tous les candidats l'avaient signée avec joie, aucun ne voulant être la marionnette d'une comédie réglée dans ses moindres détails. Je sentais cependant que cela ne marcherait pas,

1. Importantes usines automobiles.

la salle ayant en tête deux noms appris par cœur : Gretchko et Brakov. Nos bureaucrates ont beau être obtus, ils savent parfois tirer les leçons qui s'imposent, et l'expérience des réunions précédentes n'avait pas été vaine.

Chaque candidat présentait d'abord son programme, puis le règlement prévoyait cinq minutes pour répondre aux questions écrites, et sept pour les questions orales. On m'avait personnellement adressé plus de cent billets.

Je savais qu'il y avait dans l'assistance des gens prêts à jouer les provocateurs : ils n'attendaient qu'un signe des organisateurs. Contrairement à la plupart des candidats, j'avais choisi de ne répondre qu'aux questions les moins flatteuses à mon égard, les plus injustes, les plus désagréables.

Je commençai par : « Pourquoi avez-vous trahi l'organisation du parti de Moscou? Vous avez fui lâchement? Les difficultés vous ont flanqué la trouille? » « En quel honneur votre fille a-t-elle obtenu un nouvel appartement? » Il y en avait des questions de ce genre! Tout y passait, on m'accusait des pires péchés, sauf, peut-être, d'avoir été embarqué par la milice ou d'avoir eu des relations contre nature... Mais cela me permit de contrecarrer les plans des organisateurs. Car en répondant d'emblée à ces différents points, je coupai l'herbe sous le pied des provocateurs de la salle. Et je pus ensuite en venir, tranquillement, aux questions orales. Je sentis que l'assemblée se dégelait peu à peu : tout espoir n'était peut-être pas perdu.

Nous avions aussi une petite surprise en réserve. Avant que ne s'ouvre la réunion, le cosmonaute Gueorgui Gretchko m'avait annoncé qu'il entendait se désister en ma faveur; il refusait de se battre contre moi, estimant qu'il serait plus juste que je sois candidat. J'avais protesté. Il m'avait rétorqué, d'un ton sans réplique : « Ma décision est prise. » Je l'avais alors prié de n'en faire part à l'assemblée qu'au moment de passer au vote.

Gretchko fut parfait. Il a raté sa vocation : il aurait dû être acteur. Durant la réunion, il joua son rôle à merveille, prenant un air inquiet, nerveux, montrant par toute son attitude combien il se souciait des réactions des électeurs, de leurs questions, soignant ses réponses, exigeant le strict respect du règlement, etc. Il avait été prévu que juste avant le vote, chaque candidat disposerait d'une minute pour une ultime déclaration. Vint le tour de Gretchko. Il monta paisiblement à la tribune et annonça : « Je vous prie de rayer ma candidature. »

C'était un coup terrible pour les organisateurs. Les électeurs, à qui on avait enjoint de voter pour Brakov et Gretchko, se retrouvaient face à une liberté de choix plutôt inattendue. Ils pouvaient désormais me donner leurs voix, la conscience presque tranquille, à condition que le scrutin fût secret, ce que nous parvînmes à imposer.

C'est ainsi que je remportai plus de la moitié des suffrages. Je fus chaleureusement félicité par l'ensemble des candidats. Il régnait entre nous une atmosphère amicale qui fut sans doute pour beaucoup dans l'issue de la rencontre.

Il est réconfortant de constater que les projets les plus machiavéliques de mes adversaires échouent systématiquement, parce que ceux qui les conçoivent s'imaginent, à tort, que nous sommes entourés de gens envieux et lâches. Ils misent toujours sur la haine, or elle n'est pas si fréquente. Ils n'avaient pas été capables de trouver dans tout Moscou huit cents personnes mues par l'aigreur et la hargne.

Nous abordions une nouvelle étape de la campagne électorale. Mes chances ayant sérieusement augmenté, la résistance de ceux qui voyaient dans mon élection une véritable catastrophe s'en trouva décuplée. Si j'étais député, cela signifierait pour eux l'écroulement d'un système qu'ils croyaient inamovible. Que ce système fût pourri du haut en bas ne les gênait guère. L'essentiel était de ne pas laisser passer Eltsine.

Manifestement, il était trop tard...

« Quelles erreurs avez-vous commises, quand vous remplissiez les fonctions de premier secrétaire de comité régional du parti? »

« Comment réagissiez-vous aux éventuelles critiques, lorsque vous étiez à la tête du comité régional du parti? »

« Vos plus belles années en tant que premier secrétaire de comité régional correspondent aux années de stagnation. Cela ne vous gêne-t-il pas? »

(Extrait des questions posées par les Moscovites au cours de la campagne).

Je travaillai près de sept ans comme responsable de section, puis je fus élu secrétaire du comité régional. Un an plus tard, j'étais envoyé à Moscou pour une formation d'un mois à l'Académie des sciences sociales, près le Comité central. Je n'y restai que deux semaines. Il y avait alors un plénum au cours duquel Riabov, premier secrétaire du comité régional de Sverdlovsk, fut nommé secrétaire du Comité central. Le lendemain, au beau milieu d'un cours, le responsable de la formation, Koroliov, s'approcha du micro et annonça qu'Eltsine était attendu au Comité central à onze heures. Aussitôt, on fit cercle autour de moi, les questions fusèrent : que se passait-il? Moi, je tombais des nues. J'avais bien une vague idée, mais je ne voulais pas me monter la tête. J'allai au rendez-vous.

On m'adressa d'abord à Kapitonov, le secrétaire du Comité central chargé des questions d'organisation. Il engagea la conversation sur le stage que je suivais, sur l'ambiance, les relations au bureau du comité régional du parti... Je répondis que tout était pour le mieux. Il ne m'en dit pas plus, ne m'expliqua pas la raison de cette convocation. Il m'envoya trouver Kirilenko [1]. Nous échangeâmes quelques banalités, je n'étais guère plus avancé. Je passai dans le cabinet de Souslov [2]. Là, les questions devinrent plus « pointues » : me sentais-je assez solide, énergique? Connaissais-je bien l'organisation du parti dans ma région? Là encore, rien de concret ne se dessinait. Je commençais à me demander où on voulait en venir. Et soudain, coup de tonnerre : « Brejnev désire vous voir. » Je me rendis au Kremlin, accompagné de deux secrétaires du Comité central : Kapitonov et Riabov. On nous introduisit aussitôt. Brejnev était encore à la table où il présidait les séances. Je m'approchai, il se leva, nous nous saluâmes. Puis, s'adressant à ceux qui m'accompagnaient, il me désigna : « Ainsi, c'est lui qui a décidé de prendre le pouvoir dans la région de Sverdlovsk? » Kapitonov lui expliqua que non, je n'étais au courant de rien. « Comment peut-il n'être au courant de rien, puisqu'il veut prendre le pouvoir? » Et sur ce ton mi-plaisant, mi-sérieux, Brejnev m'informa que le Politburo m'avait recommandé pour exercer les fonctions de premier secrétaire du comité régional de Sverdlovsk.

Le deuxième secrétaire était alors Korovine, les préséances n'étaient pas respectées. On nommait à la tête de l'organisation un simple secrétaire local, Korovine restant

1. Un des secrétaires du Comité central, membre du Politburo.
2. Alors idéologue en chef.

à sa place. Il est vrai – et chacun en était conscient – qu'avec son caractère, il eût fait un mauvais premier secrétaire.

« Eh bien? » s'enquit Brejnev. J'étais stupéfait. C'était si imprévu! La région de Sverdlovsk est immense et l'organisation du parti très importante... Je répondis enfin que si le Politburo et les communistes locaux m'honoraient de leur confiance, je travaillerais de toutes mes forces afin de remplir au mieux ma tâche. L'entrevue s'achevait. Nous nous levâmes. Mais Brejnev ajouta soudain : « Il y a un problème : vous n'êtes pas encore membre du Comité central, et le congrès est terminé; les élections ont eu lieu. » Il dit cela d'un ton étrange, comme s'il voulait se justifier. Pourquoi? Je l'ignorais et ne pouvais me permettre de lui poser la question. Puis il s'aperçut que je ne portais pas d'insigne de député au Soviet suprême : « Vous n'êtes pas député? – Si. » Il jeta un coup d'œil incrédule aux secrétaires : « Comment cela? » Je répliquai le plus sérieusement du monde : « Au conseil régional. » Cela amusa l'assistance, car un député au conseil régional n'était pas considéré comme un vrai député. Là-dessus nous nous séparâmes. Auparavant, il me dit cependant : « Ne tardez pas à arranger vos affaires avec le plénum. »

Deux jours plus tard, le 2 novembre 1976, j'étais au plénum du comité régional du parti de Sverdlovsk. Razoumov, premier vice-responsable de la section d'organisation du Comité central, y assistait. Tout se déroula normalement. Razoumov annonça qu'en raison de l'élection de Riabov au poste de secrétaire du Comité central, il était fortement recommandé de nommer Eltsine premier secrétaire. Tandis qu'il parlait, je notai rapidement sur un bout de papier quelques grandes idées, sentant qu'il me faudrait intervenir. On vota, comme toujours, à l'unanimité. On me félicita; je demandai la parole et présentai un bref programme d'action pour l'avenir, avec ce principe directeur : il fallait d'abord se soucier des gens, et ils nous rendraient au centuple le bien que nous leur ferions. Ce credo est le mien aujourd'hui encore.

Il restait à résoudre la question du deuxième secrétaire, pour lequel la situation devenait psychologiquement intenable. Korovine fut bientôt nommé, par le bureau, président du conseil régional des syndicats *, et il s'y montra très dynamique. Il était toujours difficile de déplacer des cadres du parti. Chaque fois que le problème se posait, je m'y préparais soigneusement. Il fallait renouveler profondément les effectifs de notre région, le plus souvent aux postes clés. C'est ainsi, par exemple, que je proposai au président du comité exécutif local, Borissov, de partir en retraite.

Sous sa conduite, le rôle joué par le comité exécutif dans la vie de notre région était nettement insuffisant. Il importait que les soviets * prennent peu à peu en main toute la sphère économique, la culture sociale, la construction, se substituant progressivement aux organes du parti qui se consacreraient plus particulièrement aux problèmes politiques. Borissov m'approuva et donna sa démission. Il fallait à sa place un homme fort, intelligent. Je passai en revue les leaders que je connaissais et me souvins d'Anatoli Alexandrovitch Mekhrentsev, directeur général des usines ZIK, Héros du travail socialiste *, candidat ès-sciences [1], un homme dont les mérites étaient admis de tous. Nul n'ignorait ses profondes qualités humaines, son érudition, son aptitude à affronter les situations, sans perdre la tête. C'était en outre un homme encore assez jeune. Je lui proposai le poste. Il commença par refuser, puis me promit de réfléchir. Je le poussai tant que je pus. Finalement, il accepta. Je crois que c'était une sage décision. Il se mit peu à peu au courant et devint, selon moi, le meilleur président de comité exécutif de notre république.

Je constituai ainsi mon équipe, forte, créatrice. Un bureau solide. Nous élaborions des programmes d'action

1. Grade universitaire, équivalent à docteur de troisième cycle.

dans tous les domaines importants, des programmes sérieux, profonds, travaillés. Le bureau du comité régional du parti discutait chacun d'eux et on passait à l'action. Notre bureau se réunissait en séances tantôt ouvertes, tantôt fermées. Pour ces dernières, il était de coutume que chacun fît part de ses critiques, y compris à mon égard. Je cherchai à créer une atmosphère de libre dialogue, afin que la moindre remarque me concernant parût normale, constructive, même si je n'étais pas toujours d'accord; je m'efforçais de mettre mon amour-propre en veilleuse, de me dominer.

Ce fut une période de travail instense. Je ne ménageais personne, moi moins que quiconque. On s'habituait, finalement, à ce rythme trépidant, certains, comme Mekhrentsev, étaient sans cesse sur la brèche. D'autres, ne tenant pas le coup, prenaient moins de responsabilités. Je ne leur en voulais pas, l'essentiel étant qu'il y eût des résultats. Nous discutions beaucoup, et je n'étais pas contre, à condition que ce fût positif. Nous nous recevions également avec nos épouses – cela devint une tradition – pour célébrer les fêtes par exemple, et ces contacts amicaux, familiaux, nous soutenaient dans notre tâche. Notre région comptait quarante-cinq villes, et si l'on ajoutait les districts et les bourgs, on arrivait à un total de soixante-trois agglomérations. Je résolus de visiter chacune d'elles au moins une fois tous les deux ans. Et je tins parole. Je rencontrais les militants de base, divers spécialistes, des ouvriers, des kolkhoziens... Aussi étrange que cela paraisse, je m'arrangeais pour qu'un de ces voyages annuels tombe le jour de mon anniversaire.

Cela me permettait d'éviter les innombrables marques de sympathie qui pleuvaient sur moi à cette occasion. Je choisissais un district éloigné, passais la journée dans les fermes, les champs, à discuter avec les gens de leurs problèmes, là où mes amis n'auraient pas eu l'idée de me chercher. J'ai peu de goût pour ces fêtes d'anniversaire où l'on reste des heures à table, à s'entendre dire combien on est merveilleux. Cela me met mal à l'aise. J'étais beaucoup plus heureux de pouvoir donner un coup de main, de lever tel ou tel obstacle, de me rendre utile. C'était mon plus beau cadeau.

J'organisais constamment des assemblées, des foires, des fêtes, pour que les habitants se sentent attachés à leur ville, qu'ils soient fiers de leur Sverdlovsk, Nijni Taguil, de la cité ou du village où ils vivaient.

Dans son livre *Demain, poursuivons le combat*, Anatoli Karpov, après sa victoire sur Kortchnoï, faisait gentiment remarquer et à juste titre, que des régions aussi importantes que Sverdlovsk n'avaient pas de club d'échecs. Apprenant cela, je lui téléphonai, l'invitai à venir nous voir – je fixai aussitôt la date – lui promettant que, d'ici-là, un club serait créé. Il accepta et nous nous mîmes au travail. Nous libérâmes une vieille maison, entreprîmes de la restaurer entièrement et d'y ajouter une grande salle et d'autres locaux; nous eûmes bientôt un club d'échecs très convenable.

J'envoyai un télégramme à Karpov pour lui rappeler notre accord. Non seulement il vint, mais il amena avec lui le cosmonaute Sevastianov, président de la Fédération nationale. Il y avait foule. On procéda à l'inauguration. Je proposai à Karpov, en tant qu'initiateur de l'idée, de couper le ruban. La fête se poursuivit dans la grande salle d'échecs. J'avais demandé à nos joueurs de reproduire la citation de Karpov concernant Sverdlovsk sur une feuille de papier, et l'invitai à la déchirer publiquement. Bien plus, je lui fis jurer de la rectifier lors d'une prochaine édition, afin que ce sceau d'infâmie n'entache pas indéfiniment la réputation de la ville. Il mit volontiers en morceaux la feuille de papier, sous les applaudissements enthousiastes de l'assistance. Les réjouissances terminées, je le raccompagnai jusqu'aux limites de notre région et il s'en retourna chez lui, à Zlatooust.

Je n'avais pas renoncé à mes activités sportives. Je ne jouais plus régulièrement pour une équipe, mais j'avais constitué un groupe de joueurs de volley, parmi les membres du bureau du comité régional. Il devint bientôt difficile d'imaginer que le bureau avait pu vivre sans volley-ball. Nous jouions deux fois par semaine, le mercredi de sept heures trente à dix-onze heures du soir, et le dimanche. Souvent, nos familles étaient de la partie; Nelia Jeteneva et Lida Petrova, par exemple, épouses de secrétaires du comité régional, jouaient plutôt bien. Les batailles étaient rudes, nos matchs plus passionnés que professionnels, mais c'était une bonne détente, dont nous avions grand besoin.

J'entrepris, dès ma nomination, d'organiser des rencontres avec les diverses catégories de travailleurs. Je réunissais des directeurs d'école, des enseignants, plusieurs milliers de fonctionnaires de la santé, mille cinq cents étudiants, cinquante moniteurs de pionniers *, des ouvriers, des chefs d'entreprise, des ingénieurs en chef, des secrétaires de comité de district du parti, de jeunes militants de base, d'autres qui avaient de la bouteille, des présidents de comité exécutif de districts, des intellectuels et des créateurs, des enseignants en sciences sociales, des scientifiques... En cette période de stagnation, les assemblées de ce genre étaient assez exceptionnelles dans le pays. Il était alors de bon ton de ne pas prendre en considération les questions embarrassantes et, si l'on organisait des rencontres ou des conférences, ce ne pouvait être qu'autour d'un grand écrivain, un maréchal, une personnalité couverte de décorations...

Brejnev laissait le pays à l'abandon ou, plus exactement, il s'en occupait de moins en moins. Les autres secrétaires du Comité central avaient tendance à l'imiter, ce qui, au fond, nous donnait dans notre travail une autonomie presque complète. Nous recevions des instructions, des notifications du Comité central, mais cela ne comptait pas, c'était purement administratif ; il fallait juste que cela figure dans les rapports officiels. Quand on se rendait à Moscou pour une question que l'on n'était pas habilité à trancher au niveau local – un chantier à décider, un problème de ravitaillement, de financement... –, on s'adressait, naturellement, à une personne précise, chargée au Comité central, de telle ou telle région. Pour nous, il s'agissait du responsable de secteur Pavel Vassilievitch Simonov : un homme très bien qui se gardait d'intervenir dans les affaires de notre organisation du parti, mais était au courant de tout. Il nous téléphonait parfois, nous sermonnait en plaisantant, nos relations étaient excellentes.

Il me donna, peu après mon entrée en fonctions, une leçon que je ne risquais pas d'oublier. Notre ville avait organisé une exposition d'affiches de propagande. J'allai à l'inauguration. A peine arrivée, notre délégation fut photographiée. La photo parut dans le journal local du parti, *L'Ouvrier de l'Oural*. Le lendemain, Simonov me téléphona et entreprit de faire mon éducation. Il s'y entendait : sans élever la voix, il me mit plus bas que terre. « Hé, me dit-il, que vous êtes photogénique, mon cher ! Désormais, toute votre région saura comme vous êtes beau en photo », etc. Il savait toucher le point faible, en douceur, apparemment. Le coup porta et jamais plus on ne vit mon portrait dans le journal local.

Au Comité central, cependant, les gens comme lui étaient une exception. Aussi n'y allais-je que pour la forme. Je rendais également visite, parfois, à Razoumov, afin, surtout, qu'il n'aille pas se faire des idées. Et si je me montrais chez les secrétaires, c'était, là encore, par pure politesse. Les vrais problèmes se réglaient au Conseil des ministres *. J'avais, avec ses membres, de bonnes relations. Avec son président aussi, même si ce n'étaient que des rapports de travail. Je connaissais Ryjkov depuis Sverdlovsk, nous nous étions rencontrés lorsqu'il était directeur général de l'Ouralmach. Il était ensuite passé au ministère, puis au Gosplan *, enfin au Comité central. Quand il fut nommé président du Conseil des ministres, je fis en sorte de ne pas abuser de nos relations.

Prenons un autre exemple de la vie des dirigeants de l'époque. Nous avions le projet de construire un métro à Sverdlovsk. La ville comptait déjà un million deux cent mille habitants. La décision, cependant, dépendait du Politburo. Je résolus d'aller trouver Brejnev. Je lui téléphonai. « Viens », me dit-il. Je connaissais sa façon de procéder à ce moment-là, et je lui préparai une note, afin qu'il n'ait plus qu'à inscrire sa décision. Notre entretien dura cinq ou six minutes. C'était un jeudi, son dernier jour de travail de la semaine. Le vendredi, il partait d'ordinaire pour Zavidovo, où il passait le samedi et le dimanche. Il voulait donc en finir au plus vite. Il était incapable de formuler lui-même le texte dont j'avais besoin. « Dicte-moi ce que je dois écrire », me dit-il. Je ne me fis pas prier : « A l'intention du Politburo : préparer un projet de résolution concernant la construction d'un métro à Sverdlovsk. » Il nota docilement, signa, me tendit le papier. Rien n'était encore joué. Je n'ignorais pas que les documents de ce genre pouvaient se perdre, disparaître. Je refusai de prendre la feuille : « Non, appelez votre secrétaire. » Il obtempéra et j'ajoutai : « Demandez-lui, premièrement, d'enregistrer le document, deuxièmement, d'informer effectivement les membres du Politburo. » Sans broncher, il obéit là encore. Le secrétaire prit les papiers, je saluai et m'en fus. Peu après, nous recevions, à Sverdlovsk, une notification de décision du Politburo, nous autorisant à entreprendre la construction du métro.

C'est un exemple assez éloquent. Je crois qu'à la fin de sa vie, Brejnev ne savait plus ce qu'il faisait, signait, disait. Le pouvoir était aux mains de son entourage. N'avait-il pas écrit ce que je lui dictais, sans réfléchir un instant au sens de ce qu'il notait? Au moins, dans ce cas précis, était-ce positif. Mais combien d'arrivistes, de malhonnêtes, de criminels même, l'utilisaient pour leurs calculs? Combien de résolutions a-t-il signées sans broncher, absurdement, faisant la fortune des uns et le malheur des autres?...

Jamais mes amis, ma famille, mes relations proches ou lointaines ne sont venus me trouver, moi le premier secrétaire du comité régional, pour me demander de les aider à régler des problèmes personnels. On sait aujourd'hui quelle ampleur avaient pris, au temps de la stagnation, les protections, la corruption, pourrissant littéralement tout le système du pouvoir. Un mot du premier secrétaire ayant force de loi, qui oserait ne pas se soumettre à sa volonté? Et combien en ont abusé! On ne s'y risquait pas avec moi, on connaissait mon caractère. J'ai même de la peine à imaginer comment j'aurais réagi si le cas s'était présenté.

Le pouvoir d'un premier secrétaire est en effet illimité. Et ce sentiment de puissance est proprement enivrant. Cependant, dès lors qu'on l'utilise exclusivement à essayer d'améliorer la vie des gens, on s'aperçoit qu'il est bien insuffisant. Comment ravitailler convenablement sa région? Comment loger correctement tout le monde?... En fin de compte, le pouvoir du premier secrétaire lui permet uniquement de fournir une bonne place à l'un, un bel appartement à l'autre, de faire des cadeaux à son entourage. Et aujourd'hui encore, la situation n'a pas changé : quelques dizaines de personnes vivent comme si le communisme était réalisé, tandis que le peuple est à bout.

A l'époque dont je parle, c'était bien pire. Le premier secrétaire du comité régional était un tsar, un dieu. Le maître de la région qu'il commandait. La moindre de ses décisions était sans appel. Je me suis toujours efforcé de profiter de ce pouvoir pour venir en aide aux autres, jamais pour moi-même. J'essayais de faire tourner mieux et plus vite la machine économique. On m'écoutait, on m'obéissait et, grâce à cela, les entreprises, me semble-t-il, ne fonctionnaient pas trop mal.

Je n'intervenais pas dans les questions juridiques, cela relevait de la justice, du tribunal. Une fois, pourtant, il me fallut tirer d'affaire le directeur d'une usine de roulements à billes, accusé d'avoir dilapidé le matériel. Je volai à son secours. Je plaignais sincèrement ce jeune directeur : ayant été moi-même dans la peau d'un responsable d'entreprise, je savais que d'innombrables instructions administratives vous liaient pieds et poings. C'était un brave garçon, travailleur, je trouvais dommage de le perdre. Il était absolument désintéressé. Sans doute avait-il commis des erreurs, sans doute s'était-il fait duper, mais ce n'était pas un criminel. Tout au plus avait-il été négligent. Je demandai qu'on y regarde à deux fois avant de le condamner, et il fut laissé en liberté.

Le XXVIe Congrès du parti eut lieu. Je m'étais bien préparé ; je voulais jeter un pavé dans le marécage où s'était enlisé le pays. Mon intervention fut vigoureuse, elle tranchait particulièrement sur le fond des discours béni-oui-oui adressés à Brejnev. Cependant, comme je devais le déclarer par la suite au XXVIIe Congrès, je n'avais pas l'expérience suffisante ni, surtout, le courage politique pour porter un coup décisif à notre système bureaucratique en décomposition. Je connaissais en outre trop peu les membres du Comité central pour avoir vraiment de l'influence. Cela ne m'empêchait pas de voir le laisser-aller qui régnait.

Il faut l'avouer, nous accueillîmes avec enthousiasme l'arrivée de Gorbatchev au Comité central, persuadés que, dans les campagnes, les choses allaient enfin bouger [1]. Il n'en fut rien. Manifestement, un point essentiel lui échappa, et ses tentatives pour améliorer rapidement la situation dans l'agriculture ne donnèrent pas de résultats probants.

J'avais fait la connaissance de Gorbatchev alors que

1. En 1978, Mikhaïl Gorbatchev devient secrétaire du Comité central, chargé de l'agriculture.

nous étions tous deux premiers secrétaires, lui au comité régional de Stavropol, et moi à Sverdlovsk. Nous avions d'abord pris contact par téléphone, nous nous appelions parfois, quand l'un d'entre nous avait besoin d'aide : je lui envoyais des métaux ou du bois de l'Oural, lui me fournissait en denrées alimentaires. Il se montrait plutôt généreux pour la viande et les volailles.

Lorsqu'il fut élu secrétaire du Comité central, j'allai aussitôt le féliciter chaleureusement. Par la suite, je devais le voir souvent. Le climat était instable dans la région de Sverdlovsk et les problèmes nombreux dans l'agriculture. Je m'occupais beaucoup de ces questions personnellement – j'y consacrais facilement la moitié de mon temps – et malgré cela nos résultats n'étaient pas extraordinaires, même si l'on constatait une augmentation de la production.

Nous nous embrassions chaque fois que j'entrais dans son cabinet de travail. Nos relations étaient excellentes. J'ai aujourd'hui le sentiment qu'il était différent en ce temps-là, plus ouvert, plus sincère. Il voulait vraiment améliorer les choses, travaillait d'arrache-pied, gardait le contact avec les républiques et les régions.

C'est alors qu'eut lieu un incident, peut-être à l'origine d'un refroidissement entre nous.

Une commission du Comité central se présenta à Sverdlovsk, phénomène assez courant à l'époque. Celle-ci contrôlait la situation dans les campagnes. Elle trouva chez nous, cela va sans dire, du bon et du moins bon. Des aspect négatifs, il y en avait, je n'aurais pas l'audace de le nier. Mais dans son rapport, la commission déforma la réalité de façon grossière. Le secrétaire du Comité central adopta une brève résolution, sans m'avoir convoqué, pour que je m'explique. Nous fûmes simplement informés de sa décision et vîmes bientôt arriver le responsable-adjoint des questions agricoles, Kapoustian. Nous réunîmes les militants et Kapoustian leur tint un discours parfaitement dans l'esprit du texte adopté par le secrétariat du Comité central. Je lui répondis. Je dis que si j'étais d'accord avec les conclusions de la commission, je contestais, en revanche, la résolution du Comité central pour un certain nombre de raisons que j'énumérai. Dans la salle, tous se tenaient cois : on savait ce qu'il en coûtait de s'opposer à une décision prise à ce niveau. Kapoustian revint à la charge et je durcis encore le ton. Peu après j'étais convoqué à Moscou.

Elle m'en a causé des soucis, cette commission! Je passais des nuits entières à me demander si je faisais bien de continuer à soutenir mon point de vue. Pendant ce temps, Kapoustian et Razoumov, responsable-adjoint de la section d'organisation du Comité central, préparaient une note au Comité, indiquant que le camarade Eltsine n'avait pas su apprécier de façon objective les insuffisances constatées dans sa région, qu'il rejetait certaines conclusions de la commission de contrôle et s'élevait contre plusieurs points évoqués dans la résolution du Comité central, enfreignant ainsi la discipline de parti...

En arrivant à Moscou, je connaissais l'existence de cette note et lorsque je me présentai au Comité, j'appris sans étonnement que Kapitonov m'attendait. Il me dit, un peu gêné : « Boris Nikolaïevitch, une note nous est parvenue, de deux sections différentes... Alors, on m'a demandé... de discuter... bref, d'en porter le contenu à votre connaissance. » Il me remit le document. L'ayant lu, je lui répétai ce que j'avais déclaré au plénum du comité régional : je contestais une série de conclusions formulées dans la note. Il ne désirait pas, manifestement, s'étendre sur le sujet, et nous en restâmes là.

A cette occasion, je rendis également visite à Gorbatchev. Il m'accueillit comme si de rien n'était, nous bavardâmes puis, au moment où j'allais partir, il me dit : « Tu es au courant de la note? » Je répondis que je l'étais. Alors, il ajouta d'un ton sec et ferme : « Il faut en tirer les conclusions qui s'imposent. » Je répliquai : « Les conclusions sont à tirer de la résolution du Comité central et nous nous y employons; mais la note, elle, manque totalement d'objectivité. – Tu devrais quand même y regarder à deux fois. » Gorbatchev tutoie tout le monde, sans exception; à l'époque, ses aînés du Politburo, Gromyko, Chtcherbitski, Vorotnikov, y avaient droit aussi. Manque d'éducation ou simple habitude, allez savoir? Mais chaque fois j'en éprouvais un certain malaise, je refusais intérieurement cette attitude. Jamais, pourtant, je n'ai osé lui en parler. L'histoire de la commission d'inspection et de la note s'arrêta là.

Nous lançâmes dans la région une grande campagne de propagande. Je prononçai des discours, analysant sans fard la situation. Je n'eus pas à en pâtir car le texte de mes interventions ne monta pas jusqu'à la direction : Simonov, qui nous chaperonnait et voyait bien des choses, expédiait discrètement les comptes rendus aux archives. L'Oural ne connut pas la folie glorificatrice qui ravagea le pays dans les dernières années Brejnev. Nous nous permettions d'en sourire, d'en rire, certains étaient effarés, d'autres refusaient simplement ces absurdités. Il était clair que l'Union soviétique allait à vau-l'eau, et nous essayions d'y remédier chacun à notre place, sans ménager notre peine. Fidel Castro – avec qui j'avais établi des relations de confiance – me dit, un jour que nous bavardions à cœur ouvert : « Tu as tort de t'en faire, de te culpabiliser. La situation n'est pas encore assez mûre pour qu'il soit possible d'agir. Le centre est très fort, il bloque tout, rigide comme une carapace. »

J'avais de bons contacts avec les membres du conseil militaire de l'Oural, Siltchenko, Tiagounov, Gachkov et d'autres. Je rendais souvent visite aux unités, m'entretenais avec les soldats du rang et les équipes de commandement, participais à l'instruction. Des gens du bureau m'accompagnaient, on les laissait conduire des tanks, étudier les avions. Nous aidions les militaires à s'installer; il faut dire que les conditions matérielles qu'on leur offrait étaient souvent épouvantables. Le ministère de la Défense a le tort de considérer les soldats comme des vassaux n'ayant pas voix au chapitre. Lorsqu'au cours d'une de ces visites aux unités, je demandai pourquoi il n'y avait pas de critiques venant de la base, pourquoi les soldats n'ouvraient pas la bouche, je suscitai quelque embarras. L'affaire fut répercutée au sommet mais on l'étouffa. Moi, je ne modifiai pas ma conduite d'un iota. Et peu à peu, au sein du parti et du Komsomol [1] tout au moins, un mouvement s'amorça; les membres du Komsomol redressèrent la tête, des discours vaguement contestataires résonnèrent à l'adresse de la direction militaire. C'était une nécessité.

J'avais aussi des relations très convenables avec le K.G.B. local. Le responsable, I.I. Kornilov, était membre suppléant du bureau et, en tant que tel, assistait à nos réunions. Je me rendais souvent dans ses services, m'informais du travail du K.G.B., étudiais son fonctionnement, me familiarisais avec chaque secteur. Je n'ignorais pas que Kornilov restait muet sur certaines questions; néanmoins, je finis par connaître assez bien la structure, l'ensemble du système. Mon intervention à la session du Soviet suprême, durant l'été 1989, pour la confirmation de Krioutchkov [2] dans ses fonctions, n'était pas le fruit du hasard; je savais des choses sur cette organisation qui, pour la plupart de mes collègues, restait un mystère.

Il se produisit un jour chez nous un accident tragique, dans le secteur du charbon. Le vice-président du K.G.B., V.P. Pirojkov, vint en personne à Sverdlovsk pour l'enquête. Je n'étais en poste que depuis quelques années. Nous étions dans mon cabinet, Pirojkov, Kornilov et moi. Nous discutions tranquillement, quand Kornilov fit remar-

1. Organisation des Jeunesses communistes.
2. Krioutchkov prend alors la tête du K.G.B.

quer, en passant, que le K.G.B. local travaillait main dans la main avec le comité régional du parti. Pirojkov bondit : « Général Kornilov, debout ! » Kornilov sauta sur ses pieds, se mit au garde-à-vous. Je n'y comprenais goutte. Pirojkov débita alors, en détachant chaque syllabe : « Fourrez-vous bien dans le crâne, général, que dans toute votre action vous devez travailler non seulement main dans la main avec les organes du parti, mais encore, et exclusivement, sous leur direction. » Une scène éducative assez amusante.

Je dois avouer, à ma grande honte, que durant les dix ans que je passai à la tête du comité régional, nous ne découvrîmes pas un espion. Ce n'était pourtant pas faute de chercher. Kornilov se désolait, il nous reprochait de mal faire notre travail : « Dans une région de cette importance, il ne peut pas ne pas y en avoir ! Mais non ! Pas moyen d'en dénicher un ! »

Il y eut aussi des situations extrêmes, telle une panne à la centrale atomique de Bieloïarsk, dans la nuit du 31 décembre au 1er janvier 1979, par un froid de – 57°. Les pannes se succédaient un peu partout. A la centrale, ce fut l'appareillage métallique qui lâcha, dans la salle des machines. Il y eut une étincelle et un incendie se déclara. Les pompiers firent preuve d'un extraordinaire courage, d'un véritable héroïsme. En quelques heures, ils ameutèrent leurs troupes de Sverdlovsk. Ils durent travailler avec des masques à gaz ; du plastique brûlait, une fumée noire et âcre montait, c'était irrespirable. Il fallait à tout prix empêcher que le feu ne se propage dans la salle du réacteur. Des centaines d'autobus se tenaient prêts à évacuer la population de l'agglomération voisine. Les pompiers, aidés d'autres spécialistes, finirent par remporter cette bataille, sauvant la centrale et, surtout, des vies humaines... Les conséquences auraient pu être catastrophiques, notre région regorgeant d'usines liées à la défense.

Pendant la guerre, 437 entreprises importantes furent

installées chez nous, venant des territoires occupés par les nazis. On posait les machines à même les fondations, il n'y avait ni murs ni toit que, déjà, on commençait à produire pour le front.

Les gens logeaient dans des baraques, des cabanes. Ce qui explique que notre région ait presque détenu le record du nombre de baraquements.

J'ai déjà dit comment je considérais les baraquements. Ayant moi-même vécu près de dix ans dans ces conditions, je garde aujourd'hui encore des souvenirs cauchemardesques de ces maisons de bois où s'entassaient dix, quinze ou vingt familles. Au vingtième siècle, une telle situation est inadmissible. Quand je vins aux affaires à Sverdlovsk, plusieurs dizaines de milliers de familles étaient concernées par ce problème. On prit bientôt, au niveau national, la résolution de liquider les baraquements en dix ans. Je considérais que ce délai était insupportable, que nous devions régler cette question avant, une fois pour toutes.

Je demandai un bilan précis. Il apparut qu'il fallait prévoir près de deux millions de mètres carrés de logements, si l'on voulait reloger les habitants des baraquements. C'était énorme, le chiffre annuel de constructions pour la région, et il y avait des listes d'attente d'handicapés, de familles nombreuses, d'anciens combattants et autres.

Je me retrouvai, comme souvent, dans la situation où il me fallait trancher entre deux solutions également insatisfaisantes. Où était la priorité? Fallait-il d'abord tirer les gens de leurs baraques et retarder d'un an les listes d'attente, ou laisser, dix ans encore, des familles vivre dans des conditions inhumaines pour loger ceux qui avaient patiemment attendu leur tour?

La décision fut prise au bureau du parti. Pendant un an, seuls les habitants des baraquements obtiendraient un logement. Nos concitoyens devaient admettre d'aider, prioritairement, ceux qui vivaient le plus mal. Dans l'ensemble, ils acceptèrent, même si cela nécessita des explications, des visites, un talent de persuasion. Les directeurs d'entreprise, en revanche, réagirent violemment. C'était un coup sérieux pour eux. Nous utilisions leur potentiel de travail, et ils ne recevaient rien en échange. Les arguments moraux ne les touchaient guère. En fait, je les comprenais. J'avais moi-même été dans la peau d'un responsable d'entreprise, je savais ce que signifiait un immeuble neuf pour un collectif, combien on l'attendait. Et voilà qu'il fallait le céder à des inconnus. C'était dur.

Je me rendis à Moscou, pour tenter désespérément de sauver la situation. J'allai voir Kirilenko, lui expliquai le problème, le priai de mettre de côté pour un an les plaintes, réclamations et autres malédictions me concernant : nous devions en finir avec les baraquements. Il accepta. Puis je demandai un entretien à Kossyguine. Je répétai mon discours, insistai sur le fait que je n'avais besoin de rien – ni de matériaux de construction supplémentaires, ni d'ouvriers – sinon d'un soutien moral. Alexis Nikolaïevitch comprit. Il promit d'intervenir au Conseil des ministres, afin que les ministres concernés ne prêtent aucune attention aux plaintes des directeurs à mon endroit.

Elles ne manquèrent pas d'affluer. Les directeurs d'entreprise protestaient, écrivaient des lettres contre moi, tandis que nous détruisions les baraquements les uns après les autres. Au bout d'un an, leurs habitants étaient convenablement relogés dans des appartements neufs, bien aménagés. Je pus ensuite dédommager la plupart des usines, par le biais du comité exécutif de région.

La glasnost a suscité nombre de conversations sur la maison Ipatiev dans les caves de laquelle furent assassinés le tsar déchu et sa famille. Le retour aux origines de notre histoire, déformée, défigurée par le mensonge, est un processus naturel. Le pays veut connaître la vérité sur son passé, aussi terrible soit-elle. La tragédie de la famille Romanov fait justement partie de ces événements dont il était convenu de ne pas parler.

La maison Ipatiev fut détruite dans les années où j'occupais le poste de premier secrétaire du comité de région.

De tout temps, les gens avaient continué d'y venir, bien qu'elle ne se distinguât en rien des vieilles maisons voisines. Mais la tragédie survenue en 1918 poussait les gens à y retourner encore et encore; ils jetaient un coup d'œil par les fenêtres ou la contemplaient simplement en silence.

La famille Romanov fut tuée sur décision du comité de l'Oural. Je passai un jour aux archives régionales et lus les documents de l'époque. Tout récemment encore, les faits en étaient tenus secrets, il n'en existait qu'une version falsifiée. On imagine avec quelle avidité je me précipitai sur ces papiers datés de 1918. Ces derniers temps, deux textes détaillés et fort bien documentés ont été publiés, dans la presse soviétique, sur les derniers jours des Romanov. Mais à l'époque, j'étais un des rares initiés au mystère de la mort du tsar ct des siens. La lecture de ces papiers était pénible.

Revenons à la destruction de la maison. Nous étions à quelques jours d'une date marquante de la vie du dernier tsar de Russie. Comme toujours, les journaux occidentaux firent paraître de nouvelles études sur la question, dont des extraits furent retransmis par les radios occidentales émettant en langue russe à destination de l'Union soviétique. L'intérêt pour la maison Ipatiev en fut soudain accru. Des gens venaient d'autres villes pour la voir. Cela ne m'inquiétait guère. Je savais qu'ils n'étaient pas mus par des sentiments monarchistes, par le désir qu'appparaisse un nouveau tsar. Ils étaient poussés par la curiosité, la compassion aussi, le souvenir, des sentiments humains bien naturels.

Cependant, par Dieu sait quels canaux, Moscou apprit que le nombre des « pèlerins » était en augmentation. J'ignore quel mécanisme s'enclencha aussitôt, j'ignore de quoi eurent peur nos idéologues, quels conseils et réunions extraordinaires furent tenus, toujours est-il que je reçus bientôt un message confidentiel de la capitale. Je n'en crus pas mes yeux : une résolution secrète du Politburo avait décidé la destruction de la maison Ipatiev à Sverdlovsk. Et puisqu'il s'agissait d'une résolution secrète, le comité régional du parti devait assumer la responsabilité de cette décision insensée.

Je réunis un premier bureau et me heurtai à une réaction très vive des participants. Il était pourtant impossible de ne pas se soumettre à la volonté du Politburo. C'est ainsi que quelques jours plus tard, de nuit, nous fîmes venir du matériel devant la maison Ipatiev. Au matin, la place était nette. Par la suite, ordre fut donné de goudronner.

Ce n'est qu'un des tristes épisodes de l'époque de la stagnation. Je savais que tôt ou tard nous aurions honte de cette barbarie. Et que nous n'y pourrions plus rien.

Il serait intéressant de savoir quand le Comité central se décidera à publier les résolutions – secrètes ou non – du Politburo. Il me semble que le temps en est venu. Le voile se lèverait alors sur bien des points qui demeurent inexpliqués...

Je n'ai jamais aimé vanter mes mérites et mes succès de premier secrétaire. Je n'ai pas même cédé à la tentation de le faire, après l'intervention de Ligatchev à la XIXe conférence, où il prétendit que j'avais saboté mon travail à

Sverdlovsk. Chacun savait que c'était une calomnie et je jugeai indigne de lancer un débat, d'essayer de prouver le contraire.

J'eus quelques satisfactions : l'approvisionnement s'améliora, on construisit la route Sverdlovsk-Serov. Je me demande aujourd'hui encore comment nous avons pu mener à bien cette tâche, immense tant par l'effort qu'elle représentait que par sa signification pour notre région.

Notre territoire a un peu la forme d'un cœur renversé : il s'étend sur mille kilomètres du nord au sud, et sur cinq cents d'est en ouest. Pour je ne sais quelle raison, les principales villes du nord étaient presque coupées du centre, de Sverdlovsk et Nijni Taguil. Or, le nord était riche, avec sa bauxite, ses minerais, ses métaux précieux. Le nord, c'est la métallurgie, c'est le charbon de Karpinsk, de Toura. Pour aller de Karpinsk, Serov, Severoouralsk, Krasnotourinsk à Sverdlovsk, il fallait compter vingt-quatre heures. Les gens ne participaient pas à la vie du pays. On envisageait depuis belle lurette la construction d'une grande route, mais la réalisation du projet était ardue : la route devait traverser des marais, des ravins, des montagnes et plusieurs rivières, sur une distance de trois cent cinquante kilomètres. Compte tenu de toutes ces difficultés, le prix de revient du kilomètre était d'un million de roubles. Il fallait trouver trois cent cinquante millions de roubles, affecter des gens à la construction, assurer l'outillage, bref, on ne savait par où commencer. Et le besoin de cette route se faisait sentir plus cruellement d'année en année.

Nous demandâmes aux organes centraux de planification de nous allouer des crédits. Nous n'attendîmes pas longtemps la réponse : négative.

Nous tînmes conseil avec les premiers secrétaires de comités régionaux et municipaux, les présidents de comité exécutif de ville et de district, les responsables de région. La discussion fut longue. La conclusion en était simple :

nous devions nous débrouiller par nous-mêmes. Nous découpâmes la future voie en tronçons, dont certaines villes auraient la charge. Libre à chaque municipalité de s'adresser aux entreprises, aux organisations locales pour former des équipes spéciales de constructeurs, trouver des spécialistes, des excavateurs, des bulldozers et tout l'appareillage nécessaire.

La réalisation du projet n'était possible qu'avec une organisation très stricte du travail, une discipline sans faille, un contrôle constant, au plus haut niveau. Un état-major, créé pour la circonstance, suivait le déroulement des travaux. Nous faisions des tournées d'inspection dans les différents tronçons, débarquions sur les chantiers, parfois en hélicoptère quand il n'y avait pas d'autre moyen d'accès. C'était à croire que la nature avait tout mis en œuvre pour nous empêcher d'arriver à nos fins. Et pourtant, nous réussîmes : la route fut construite, une belle route, prévue pour durer de nombreuses années.

Un an environ avant l'achèvement des travaux, nous fixâmes la date et l'heure de l'inauguration. Nous décidâmes de réserver des cars pour transporter les responsables du parti et des soviets des municipalités qui avaient participé, et d'emprunter la nouvelle route. Chaque fois que nous arriverions à un tronçon inachevé, les « coupables » descendraient du car. Les choses se passèrent comme prévu. Cette route est notre victoire commune, c'est pourquoi elle nous est si chère.

On me dira qu'il n'est guère convenable de débarquer ainsi, en pleine nature, devant tout le monde, des responsables haut placés; que c'est typiquement la manière autoritaire et administrative. C'est juste. Mais dans ce cas précis, elle a porté ses fruits.

J'ai été élevé dans ce système. Ce style de direction, j'en suis imprégné, comme l'ensemble de mes concitoyens. Les réunions, les assemblées de bureau, les rapports au plénum, ce n'étaient que pressions. A l'époque, ces méthodes fonctionnaient, surtout quand les responsables étaient des gens volontaires. Mais on s'aperçut peu à peu que nombre de justes résolutions du bureau restaient lettre morte. La parole donnée par le premier secrétaire du comité de district ou de ville, du président du comité exécutif, des responsables économiques, n'était pas tenue. Le système battait de l'aile.

A la fin des années soixante-dix, il devint difficile d'inventer de nouvelles voies : nous avions, semble-t-il, fait le tour des possibilités, testé toutes les méthodes. Nous continuions cependant, chaque année, au début du mois de janvier, à nous réunir entre membres du bureau, afin de mettre au point des formes inédites de travail, indispensables aux organisations du parti de notre région. Sans l'avouer, je sentais que les gens n'étaient pas satisfaits. Notre stock d'idées était épuisé. Et je me surpris à céder parfois, malgré moi, à la lassitude, à l'impression décourageante que la situation était sans issue.

Les affaires marchaient bien, pourtant, dans notre région.

CHAPITRE V

22 février 1989

CHRONIQUE DES ÉLECTIONS

La « réunion électorale » de la première circonscription nationale de Moscou s'était achevée vers trois heures du matin. Trois heures plus tard, j'étais dans un avion à destination de Sverdlovsk. J'avais chargé des personnes de confiance d'envoyer des télégrammes dans les circonscriptions où ma candidature avait été proposée, pour remercier les électeurs et leur annoncer ma décision de me présenter ailleurs, sans dire où pour l'instant.

Mais je me rendais personnellement à Sverdlovsk, parce que je ne pouvais, par télégramme, informer mes « pays » de mon désistement chez eux.

Nombre de mes partisans et adversaires considéraient mon idée de rester à Moscou et de renoncer à des circonscriptions où j'avais toutes mes chances, comme une lourde erreur, de la coquetterie mal placée, un culot insensé, une folle prétention, et j'en passe. Je n'avais rien à leur opposer pour ma défense. Je courais le risque de n'être élu nulle part, de perdre ma dernière possibilité de revenir à la vie politique. Après avoir surmonté tous les obstacles sur ma route, je m'en créais un nouveau. C'était un peu bizarre, en effet.

Et cependant, il importait de tenter Moscou, la première circonscription du pays. Ce n'était pas la folie des grandeurs, ni l'ambition qui me poussaient. Je devais simplement prouver aux autres et à moi-même, à tous ceux qui me soutenaient, qu'un temps nouveau était venu, que nous pouvions désormais décider de notre destin, qu'en dépit des pressions venues d'en haut, de l'appareil, de l'idéologie officielle, il nous était loisible d'élire véritablement le député de notre choix.

Si j'avais accepté Sverdlovsk, ma campagne électorale s'en serait tenue là. Je n'aurais plus eu qu'à attendre le 26 mars, jour du scrutin, et les chiffres annonçant ma victoire, le lendemain. L'écrasante majorité de la population aurait incontestablement voté pour moi.

Dans la capitale, j'évaluais mes chances à cinquante pour cent et ma campagne serait le prolongement de mon intervention au plénum d'octobre du Comité central. Avec cette nuance que j'étais seul contre l'appareil déchaîné de la bureaucratie et du parti. Aujourd'hui, la situation a changé. J'ai conservé mes adversaires, mais j'ai de mon côté les millions de Moscovites. Pourquoi, d'ailleurs, se limiter à Moscou? Tous haïssent indifféremment l'hypocrisie, le mensonge, l'autosatisfaction, l'assurance dont le pouvoir est pétri.

Au matin, j'étais à Sverdlovsk. Je n'avais pas fermé l'œil un instant, mais à peine arrivé dans ma ville natale, je sentis la fatigue, la tension de ces derniers jours s'envoler comme par magie. Je quittai l'aérodrome pour aller rencontrer la population. La première réunion dura trois heures. Elle fut suivie d'une courte pause, le temps d'embrasser les amis, et je fonçai au palais de la culture d'une grosse usine. J'y trouvai mille cinq cents personnes. On me posa, sous forme de billets, près de cinq cents questions. Et, dans une note sur deux, cette prière : « Boris Nikolaïevitch, renoncez à Moscou, vous allez vous faire " démolir ". Les Moscovites ne sont pas sûrs, ils peuvent vous jouer un sale tour. »

L'assemblée prit fin à une heure du matin. J'expliquai tant bien que mal aux gens de Sverdlovsk qu'il me fallait commencer ma campagne à Moscou. J'eus l'impression qu'ils comprenaient. Ils me dirent aussi que si, le 26 mars, je ratais mon coup, je n'avais pas à m'inquiéter, ils s'arrangeraient pour mettre en échec leurs candidats, afin qu'il me reste une chance d'être élu à Sverdlovsk au second tour. Ils avaient l'air résolus. Ils promirent que, le jour du scrutin, ceux qui le pourraient viendraient, munis d'une dérogation, voter à Moscou pour me soutenir.

Voilà les gens de ma ville natale!

Je n'eus pratiquement pas le temps de voir mes amis, de bavarder avec eux. Il fallait partir. Je menais véritablement une vie de fou.

Je rendis rapidement visite à ma mère. Elle s'en était fait du souci, ces derniers mois! Je l'embrassai et filai prendre mon avion...

« Dites-nous, vous vouliez vraiment Moscou, ou cela s'est fait par hasard? »

« Comment avez-vous choisi votre appartement à Moscou? »

(Extrait des questions posées par les Moscovites au cours de la campagne).

Le 3 avril 1985, le bureau du comité régional de Sverdlovsk était réuni et débattait vigoureusement du problème des semailles dans la région. La situation était plus qu'inquiétante : il y avait eu peu de neige, la terre était sèche, les spécialistes étaient d'avis qu'il fallait attendre. On s'en tint là, mais il fut décidé qu'on se renseignerait sur place, pour plus de sûreté. Dans la soirée, je fis le tour des magasins. Je connaissais le problème par cœur, cependant il est toujours bon de voir les choses par soi-même. L'approvisionnement semblait meilleur, il y avait différentes sortes de volailles, du fromage, des œufs, du saucisson. Pas de quoi pavoiser, néanmoins.

Je n'imaginais pas que, ce même soir, d'autres préoccupations m'attendaient. Dans la voiture, il y eut un appel de Moscou : « Le camarade Dolguikh, membre suppléant au Politburo et secrétaire du Comité central, veut vous parler. » Vladimir Ivanovitch me salua, il me demanda poliment des nouvelles de ma santé, puis m'informa que le Politburo me proposait de venir à Moscou diriger la section de la construction au Comité central. Je pris à peine le temps de réfléchir et refusai.

Je n'entrai pas, avec Dolguikh, dans de longues explications. Simplement, je savais que je ne pouvais pas partir : j'étais né ici, j'y avais grandi, étudié, travaillé. J'aimais ce que je faisais et remportais quelques succès, aussi modestes soient-ils. Et j'avais établi, au fil des années, des contacts solides, précieux, avec les gens. Il me semblait impossible de repartir à zéro, sans avoir complètement achevé ma tâche à Sverdlovsk. J'avais une autre raison de refuser : sans bien en avoir conscience, je sentais sans doute qu'il n'était pas très logique de nommer un membre du Comité central, premier secrétaire de comité de région depuis neuf ans et demi, responsable de la section de construction. Notre région occupe la troisième place pour la productivité et son premier secrétaire, avec l'expérience unique qui était la sienne, avec ses connaissances, pouvait être utilisé plus efficacement. La tradition, d'ailleurs, le voulait ainsi : le premier secrétaire du comité de région Kirilenko était parti pour devenir secrétaire du Comité central, il en avait été de même pour Riabov. Bref, il eut beau essayer de me convaincre, je refusai. Notre conversation s'arrêta là.

Je passai la nuit à réfléchir à mon avenir, persuadé que les choses ne se limiteraient pas à ce coup de téléphone. Et, dès le lendemain, je reçus un appel de Ligatchev, secrétaire du Comité central et membre du Politburo. Informé de mon entretien avec Dolguikh, il se montra plus pressant. Je m'obstinai, répétant que je devais rester ici, que ma région était unique, immense, qu'elle comptait cinq millions d'habitants, que les problèmes n'y manquaient pas. Ligatchev recourut alors à un argument infaillible : celui de la discipline du parti. Le Politburo avait décidé et, en tant que communiste, je devais me plier à sa volonté et venir dans la capitale. Je n'avais plus qu'à me soumettre. Le 12 avril, je prenais mes fonctions à Moscou.

Mes adieux à Sverdlovsk, où je laissais tant d'amis, de camarades, furent très tristes. Je laissais aussi l'Institut polytechnique de l'Oural, les lieux où j'avais appris mon métier, où j'avais commencé à œuvrer pour le parti. Ma vie entière s'était déroulée ici. Je m'y étais marié, j'y avais mes deux filles, et déjà une petite-fille. De plus, à cinquante-quatre ans, il n'est pas si facile de tout recommencer.

Notre pays est ravagé par ce qu'on a coutume d'appeler le « syndrome de Moscou ». Il se manifeste par une certaine animosité à l'égard des Moscovites et, en même temps, par un désir furieux d'accéder à la capitale. Les racines du mal ne sont pas dans les gens eux-mêmes, mais dans la situation sociale et économique qui existe chez nous. Sans parler de notre éternelle tendance à construire des « villages de Potemkine [1] ». Les étrangers viennent à Moscou, la ville doit avoir l'air plus attrayant que les autres, l'approvisionnement doit y être assuré, ainsi qu'un tas de choses dont les provinciaux ont depuis longtemps oublié l'existence. On arrive en foule des quatre coins du pays, on fait la queue pendant des heures pour des bottes d'importation ou du saucisson, en maudissant les Moscovites qui ont tellement de chance. La province est prête à toutes les humiliations pour envoyer ses enfants étudier à Moscou. Un mot nouveau a même fait son apparition, qui, récemment encore, ne figurait pas dans les dictionnaires : *limittchik*. Il s'agit de jeunes garçons et filles qui acceptent des emplois, le plus souvent non qualifiés, pour

1. Lors d'un voyage de Catherine II dans les provinces de l'empire, le prince Potemkine, voulant cacher à la souveraine la misère dans laquelle vivaient ses sujets, avait imaginé de planter, sur le trajet impérial, de radieux décors que l'on déplaçait de village en village.

obtenir, au bout de plusieurs années, le droit de résider à Moscou [1].

Je dois avouer honnêtement que je partageais pleinement ces préventions à l'égard de la capitale et de ses habitants. Je n'avais guère eu l'occasion de fréquenter ces derniers; bien que venant régulièrement à Moscou en mission, je ne rencontrais, la plupart du temps, que des représentants d'autres républiques. Mais le peu que j'en avais vu me laissait une désagréable impression. J'avais senti chez eux un snobisme, une certaine hauteur envers les provinciaux – des traits de caractère que je croyais déceler chez tous les Moscovites.

Je n'avais en outre jamais rêvé ni même souhaité travailler dans la première ville du pays. Il m'était arrivé à plusieurs reprises de refuser des postes que l'on me proposait, entre autres un poste de ministre. J'aimais Sverdlovsk – je l'aime encore aujourd'hui –, pour moi ce n'était pas la province, je ne voyais aucun inconvénient à y demeurer.

Bon gré mal gré, cependant, j'étais à Moscou. On me montra un appartement. Peu m'importait : j'avais le moral à zéro. J'acceptai le premier qui se présenta, près de la gare de Biélorussie, dans la deuxième rue Tverskaïa-Iamskaïa. Un quartier sale et bruyant. D'ordinaire, les responsables du parti s'installent à Kountsevo, où ils trouvent le calme, la propreté, le confort.

Je me mis dare-dare au courant et ma section commença à travailler d'arrache-pied. Mes méthodes, bien sûr, ne plaisaient pas à tout le monde. Je rentrais chez moi vers minuit, minuit et demi, et le lendemain, à huit heures, j'étais déjà à mon poste. Je ne demandais pas aux autres d'en faire autant, mais mes proches collaborateurs, mes adjoints en particulier, s'efforçaient de prendre le pli.

Je n'eus pas un battement de cœur en franchissant le

1. Où il est impossible de s'installer sans *propiska*, autorisation de résidence.

seuil de l'immeuble du Comité central, sur la place Vieille. Il représente pourtant la citadelle du pouvoir, là est concentrée la puissance de l'appareil. De là viennent toutes les idées, les ordres, les affectations; les plans, grandioses et irréalisables, les slogans invitant à aller de l'avant. On y lance les aventures les plus folles, on y fomente aussi des projets criminels. On a pu, ici, prendre en quelques minutes des décisions qui allaient bouleverser le monde pour plusieurs années, ne fût-ce que l'intervention en Afghanistan.

Je ne pensai pas à cela en entrant en fonctions. Je songeais avant tout à redresser ce secteur de l'industrie qui m'était confié. Je connaissais, d'expérience, les grands problèmes auxquels je serais confronté.

Ma carrière s'est déroulée de telle façon que je n'ai pour ainsi dire jamais eu personne au-dessus de moi. Je n'ai pas été l'adjoint de quiconque. Je préférais ne diriger qu'un petit secteur, et être maître chez moi. J'avais ainsi l'habitude de trancher, sans rejeter la responsabilité des décisions sur qui que ce soit. Au Comité central, c'était une autre paire de manches. Là, le mécanisme de la subordination, la hiérarchie du parti dans ce qu'elle a de plus strict, sont poussés jusqu'à l'absurde. Pour un tempérament comme le mien, épris de liberté et pétri d'amour-propre, ce cadre bureaucratique et froid fut une rude épreuve. La section de la construction dépendait du secrétaire du Comité central Dolguikh et il se heurta le premier à mon goût de l'indépendance.

Je me rappelle le premier conseil auquel j'assistai, avec les responsables des diverses sections que couvrait Dolguikh. Il prit la parole et je m'aperçus que mes collègues avaient sorti de gros blocs-notes et s'efforçaient de consigner le moindre mot qu'il prononçait. Je me contentais, pour ma part, de noter les points importants. Dolguikh, peu habitué à ce comportement, me regardait avec un mécontentement manifeste, l'air de dire : « Je parle, et tu n'écris rien?! » Il ne me fit aucune remarque mais, à la réunion suivante, il déclara, visiblement à mon intention : « Si vous voulez des précisions, si vous avez oublié certaines choses, n'hésitez pas à demander. – Non, merci, répondis-je, je n'ai rien oublié. »

Il comprenait, bien sûr, que ma situation était provisoire, que mon statut ne tarderait pas à changer radicalement. Il n'y eut jamais entre nous de véritables problèmes, de conflit ouvert.

J'étais débordé de travail, mais je ne regrette pas, aujourd'hui, d'être passé par cette étape. J'ai pris connaissance de la situation dans le pays, je suis entré en contact avec les diverses républiques ainsi que de nombreuses et importantes régions. Je devais parfois m'adresser directement au Secrétaire général; nos entretiens se déroulaient exclusivement par téléphone. J'avoue m'être étonné qu'il ne souhaite pas me rencontrer, bavarder un moment. D'une part, nous étions en bons termes, d'autre part avant d'arriver au Comité central, il avait été, comme moi, premier secrétaire de région. Une région, d'ailleurs, nettement inférieure, du point de vue du potentiel économique, à celle de Sverdlovsk. Ce qui ne l'avait pas empêché d'être directement nommé secrétaire du Comité central. J'imagine que Gorbatchev savait parfaitement quelles idées me tournaient dans la tête, mais nous faisions tous deux mine de rien.

Ma femme vint bientôt me rejoindre, ainsi qu'une de mes filles, son mari et ma petite-fille; ma cadette, elle, vivait déjà à Moscou. Ensemble, ils installèrent l'appartement, tandis que je travaillais.

Ma famille.

Ma femme, mes deux filles, leurs maris, mon petit-fils et mes deux petites-filles. Peut-être est-il temps de laisser de côté ma vie professionnelle, ma vie dans le parti, pour parler de mes proches. Ils eurent du mal à s'acclimater : une ville inconnue, un rythme différent, d'autres rapports.

D'ordinaire, le chef de famille aide les siens à s'adapter, mais je n'avais ni la force, ni le temps de suivre ce qui se passait à la maison, je me consacrais entièrement à ma tâche. Finalement, je les voyais plus souvent à Sverdlovsk.

Il nous faut ici effectuer un petit retour en arrière. Au temps tumultueux de ma vie d'étudiant, je fréquentais quelques amis, toujours les mêmes. Nous avions ainsi formé un groupe de six garçons et six filles. Nous vivions côte à côte, dans deux grandes pièces, nous nous retrouvions presque tous les soirs. Il y avait, bien sûr, des amourettes, certaines filles me plaisaient. Bientôt je m'aperçus que je m'intéressais de plus en plus à l'une d'elles, Naïa Guirina. Elle était native de la région d'Orenbourg et son prénom était Anastassia. Chez elle, cependant, puis à l'école et à l'institut, on l'avait surnommée Naïa, Naïna.

Cela commença à lui poser problème lorsqu'elle fut assez grande pour qu'on l'appelle par ses prénom et patronyme. Elle ne pouvait s'habituer à son vrai nom d'Anastassia.

Elle se rendit alors au ZAGS [1] et demanda à être enregistrée sous le prénom de Naïna. Je préférais, moi, Anastassia et, longtemps, j'évitai de la nommer.

C'était une jeune fille modeste, aimable et douce, ce qui convenait parfaitement à mon tempérament débridé. Notre inclination mutuelle allait grandissant, mais nous nous gardions bien de le montrer. Et si je l'embrassais, c'était sur la joue, comme mes autres amies. Nous n'en étions pas aux déclarations enflammées. Je savais, pourtant, que j'étais amoureux, et pour de bon! Nous nous avouâmes nos sentiments en deuxième année seulement, dans la galerie du foyer, devant la salle de réunions de l'institut. Et nous nous embrassâmes enfin près d'une des colonnes.

En dernière année, je passai plusieurs mois en compétitions sportives et me mis ensuite comme un fou à mon

1. Office d'état civil.

mémoire de diplôme. A peine reçu, je repartis sans même chercher à savoir où je serais affecté. En rentrant, j'appris que je restais à Sverdlovsk, alors qu'elle était envoyée à Orenbourg. Un jeune couple ne peut espérer une double nomination dans une ville que s'il est en mesure de prouver qu'il est officiellement marié. Pour notre part, nous n'avions à présenter que des déclarations d'amour. Nous décidâmes de mettre nos sentiments à l'épreuve.

Elle irait à Orenbourg, je travaillerais à Sverdlovsk et, au bout d'un an, nous nous retrouverions en terrain neutre, à Kouïbychev. Nous ferions alors le point.

Cette première année fut très chargée pour moi, avec les douze spécialités que je voulais assimiler et les matchs de volley. Le hasard voulut qu'un an plus tard exactement, la coupe locale se disputât à Kouïbychev. Je lui téléphonai. Je reconnus à peine sa voix tant elle était émue. J'étais inquiet, moi aussi, mais plutôt joyeux. Nous nous donnâmes rendez-vous sur la grand-place de la ville.

L'hôtel où nous logions durant la compétition s'y trouvait justement. Et en sortant, je la vis. Mon cœur fit un tel bond que tout devint clair : je savais que nous ne nous quitterions plus. Nous passâmes la soirée et la nuit à marcher et à discuter. Nous évoquions des souvenirs de notre vie d'étudiants, nous racontions les événements de l'année. Je ne me lassais pas de l'écouter et de la regarder, j'aurais voulu continuer ainsi jour et nuit, sans dire une parole, point n'en était besoin.

La suite a montré que nous étions faits l'un pour l'autre. C'était le bon choix, ce qui n'est pas si fréquent. Naïa m'accepta et m'aima tel que j'étais, têtu, pas facile à vivre. Ce n'était pas drôle tous les jours. Moi, je l'ai aimée, elle si douce, si tendre, si bonne, définitivement.

Nous revînmes ensemble à Sverdlovsk et réunîmes nos amis de l'institut dans ma chambre au foyer, afin de leur annoncer notre intention de nous marier. Auparavant, nous étions passés au ZAGS du district Verkh-Issetski.

Les formalités étaient alors on ne peut plus simples : on venait avec ses témoins, on s'inscrivait sur les registres et on rentrait chez soi.

Mais à l'institut, surtout les dernières années où les mariages étaient nombreux, j'avais été l'un des principaux organisateurs des « noces de komsomols » qui, le plus souvent, se déroulaient à la cantine du foyer, gaies, bruyantes, intéressantes parce qu'on y multipliait blagues et trouvailles.

J'étais à l'origine, si l'on veut, de pas mal de ménages, et mes amis décidèrent de se « venger », en nous organisant une fameuse noce. Elle eut lieu à la Maison du Paysan. Des copains vinrent des quatre coins du pays, beaucoup avaient été affectés dans d'autres villes. Ce fut une vraie noce. Près de cent cinquante personnes y assistèrent. Mes amis, en particulier Ioura Serdioukov, Serioja Palgov, Micha Karassik, firent de leur mieux pour que ce jour reste à jamais dans nos mémoires. Ils nous dédièrent une ode de leur composition, nous offrirent un journal plein d'humour fabriqué pour la circonstance, des affiches amusantes et nous réservèrent bien d'autres surprises. Nous n'avons malheureusement pas conservé ces cadeaux, ils se sont perdus au fil du temps.

La fête dura toute la nuit. Mais les choses ne s'arrêtèrent pas là. Mes parents exigèrent une autre cérémonie : on manquait de place à la Maison du Paysan et cela avait été essentiellement une réunion de jeunes. Il fallut organiser un mariage pour la famille. Puis nous nous rendîmes à Orenbourg, où les parents de Naïa réclamèrent aussi leur noce. Elle était d'une famille paysanne, où l'on respectait les traditions. Nous recommençâmes les festivités, auxquelles assistèrent quelque trente personnes. Les parents de Naïa avaient une maison individuelle, pas très grande, mais en pleine ville, avec un potager. La fête terminée, nous passâmes la nuit chez les voisins. Au réveil, on nous réclama le drap, selon la coutume. Mais nous en étions à notre troisième mariage et nous fûmes obligés de sortir sur le perron et de nous expliquer avec la foule qui nous demandait des comptes.

Nous restâmes quelques jours chez ma belle-famille. Le soir, nous nous installions sur la petite terrasse qui donnait sur un grand pré. Nous bavardions, rêvions, faisions des projets d'avenir...

Puis nous retournâmes à Sverdlovsk. Naïa trouva un emploi à l'institut Vodokanalproekt, où elle devait travailler vingt-neuf ans, comme ingénieur en chef. Elle était conscieneieuse et ses collègues l'estimaient. Il me semblait que sa vie professionnelle était exempte des problèmes auxquels j'étais confronté.

Moins d'un an après notre mariage, je conduisis ma femme à la maternité. Je voulais un garçon, bien sûr, mais nous eûmes une fille. J'étais content quand même, nous l'appelâmes Lena. J'errai, avec les copains, autour du bâtiment [1], nous lançions des fleurs par la fenêtre. Puis nous rentrâmes au foyer et célébrâmes l'événement. Le dîner fut assez joyeux. Deux ans plus tard, la scène se répéta. Je ne suis pas superstitieux, et cependant, j'avais exécuté docilement ce que me conseillaient les spécialistes, y compris placer une hache sous notre oreiller, ainsi qu'une casquette. Mes amis, grands connaisseurs des coutumes populaires, m'affirmaient que c'était le meilleur moyen d'avoir un garçon. Ce fut une fille, Tatiana, un bébé souriant, doux, ayant hérité le caractère de sa mère. L'aînée me ressemble plus.

Je dois avouer que je n'ai guère de souvenirs de cette époque : les premiers pas de mes enfants, leurs premiers mots, les rares instants que je consacrais à leur éducation, se sont effacés de ma mémoire. Je travaillais alors presque jour et nuit et nous ne nous voyions que le dimanche, où nous déjeunions en famille. Quand mes filles furent plus grandes, nous prîmes l'habitude de les emmener au restau-

1. Les maris n'ont pas le droit de pénétrer dans les maternités.

rant, ce qu'elles adoraient. A midi, en général, il y avait peu de monde au restaurant le Grand Oural. Nous déjeunions tranquillement, sans oublier, surtout, de commander une glace pour Lena et Tania.

Si je n'ai pas vraiment élevé mes filles, elles m'ont toujours témoigné beaucoup de tendresse et d'affection, cherchant par tous les moyens à me faire plaisir. Elles furent d'excellentes élèves. Ne les avais-je pas prévenues, dès leur entrée à l'école, qu'au-dessous de cinq, il n'y avait pas de bonne note? Des problèmes, nous en eûmes, des difficultés quotidiennes : il manquait ceci ou cela, nous passions des nuits sans sommeil quand l'une d'elles tombait malade, mais c'était la vie, il n'y avait là rien d'extraordinaire.

Je partais toujours en vacances avec ma femme [1]. Une fois, pourtant, j'allai seul à Kislovodsk; les enfants étaient trop petites pour que nous les emmenions et Naïa était restée avec elles. Cinq jour plus tard, je lui envoyai un télégramme : « Viens, je n'en peux plus. » Naïa trouva où caser les enfants et prit le premier avion. Je me sentis tout de suite mieux et cessai de tourner comme un lion en cage. Quand les filles eurent six et huit ans, nous passâmes les vacances en forêt, tous les quatre au bord d'un lac. Nous campions. C'est un de mes meilleurs souvenirs de congés.

Plus tard, nous avons fait des croisières sur la Kama, la Volga, nous avons séjourné à Guelendjik, installant un village de toile. On me reproche de ne pas beaucoup sourire. Je suis pourtant d'un tempérament optimiste. Je me dis, parfois, que j'ai tellement ri – dans mes jeunes années j'étais un fameux boute-en-train – que j'ai sans doute épuisé mes réserves de rires et dc sourires. Je me souviens cependant que, lorsque nous passions ainsi les vacances en véritables sauvages, nous ne cessions de nous amuser, inventant toutes sortes de jeux, de blagues et de concours. Là, je me reposais vraiment, je me détendais moralement,

1. Ce qui n'est pas très fréquent en Union soviétique.

psychologiquement. Il n'en est pas de même aujourd'hui où, à peine en congé, je n'ai que le travail en tête.

Quand mes filles étaient à l'école, je n'allai pas une seule fois aux réunions de parents. Lena entra ensuite à l'Institut polytechnique de l'Oural, à la faculté de construction, elle suivit les traces de son père. Elle travaille aujourd'hui à l'Exposition permanente du bâtiment. La cadette, elle, ne rêvait que mathématiques, cybernétique et, après ses études secondaires, elle partit à Moscou tenter sa chance à l'Université. Je ne fis rien pour l'en dissuader, mais sa mère en fut très affectée, elle pleura, disant que la vie serait difficile pour elle, dans la capitale, sans personne de la famille. Tania a beau être douce, elle se montra, en la circonstance, résolue, obstinée. Elle fut admise à l'Université. Elle vivait en foyer, je venais souvent à Moscou pour mon travail, je logeais à l'hôtel et nous nous voyions régulièrement, chez l'un ou chez l'autre. Je lui apportai une fois une caisse de vaisselle et fis la connaissance de tous ses amis, des jeunes très sympathiques. Ses études achevées, elle trouva un emploi dans une entreprise de Moscou, elle s'occupe aujourd'hui d'informatique, effectue des calculs d'une extrême complexité. Son rêve s'est réalisé, il me semble qu'elle est heureuse.

Elle commença à fréquenter un garçon, l'amena chez nous pour nous le présenter. A peine eut-il tourné les talons que Naïna me demanda : « Alors, ton opinion ? » Je répondis que ce n'était pas moi qui me mariais. A notre fille de faire son choix, je n'avais pas de conseils à lui donner. Je n'en donnai pas non plus à sa sœur.

Lena rencontra Valera Okoulov, qui vivait à Sverdlovsk et travaillait comme navigateur dans l'aviation. Tatiana se lia d'amitié avec Liocha Diatchenko, puis leur amitié se transforma en amour. Je suis très content de mes gendres. Même s'ils ne m'appellent pas papa, je les considère comme mes fils, nous formons à nous tous une vraie grande famille. Mes filles ont réussi à fonder des foyers heureux, que beaucoup pourraient leur envier. Lena a d'abord eu une fille, Katia, et Tania un fils, Boris. Le petit Boris a pris le nom de sa mère : Eltsine. J'en suis reconnaissant à ses parents. Il y a aujourd'hui deux Boris Eltsine, et le plus jeune est mon petit-fils.

Puis Lena a eu une seconde fille, la petite Macha, une fillette douce et souriante. Katia est très différente, vive, intrépide, et elle n'a pas sa langue dans sa poche. Boris n'a pas froid aux yeux lui non plus, il a commencé très tôt à faire du sport : à sept ans, il prenait des leçons de tennis et il joue aujourd'hui dans la section sportive Dinamo; il s'initie également aux arts martiaux.

Nous partageons notre appartement avec la famille de Tania. Notre aînée vit à part, pas très loin, et vient souvent nous voir. Nous dînons ensemble. Il est vrai que je rentre tard et ne profite de leur présence en général que le dimanche. Quand la famille est au complet, c'est une fête pour moi. Tous se montrent pleins d'attentions. Je sens qu'ils s'inquiètent des difficultés, des problèmes que je rencontre, du combat que je ne cesse de mener et qui me vaut de fréquentes nuits blanches (je dors d'ailleurs aussi peu qu'autrefois). Sans leur soutien, leur réconfort, je n'aurais peut-être pas supporté les périodes dures de ma vie.

Mais revenons à mon travail.

Au bout de quelque temps, en juin précisément, le plénum m'élut secrétaire du Comité central, chargé des questions de la construction. Je n'en éprouvai aucune joie particulière; les choses suivaient simplement leur cours, et cette nouvelle fonction correspondait, cette fois, à mes capacités et à mon expérience. Je changeai de bureau, je changeai de statut. Je découvris le mode de vie des dirigeants haut placés.

En tant que responsable de section, j'avais droit à une petite maison de campagne, pour deux familles – nous la partagions avec les Loukianov. A présent, on me proposait une vraie datcha, celle que le camarade Gorbatchev venait de quitter pour une toute neuve, qu'il s'était fait construire.

Nous avions de grands projets. Je voyageais beaucoup dans les républiques, les régions – de Moscou, Leningrad, en Extrême-Orient, en Turkménie, en Arménie, du côté de Tioumen...

Il y eut aussi cette visite de quelques jours à Tachkent, dont je voudrais parler un peu plus en détail. J'assistais au plénum du Comité central d'Ouzbekistan. Je logeais à l'hôtel. La nouvelle de mon arrivée se répandit dans la ville comme une traînée de poudre et, bientôt, la foule se rassembla près de l'hôtel, demandant à s'entretenir avec moi. On voulut la disperser, mais je déclarai que je consacrerais deux jours à recevoir tous ceux qui le souhaiteraient. Je priai mon garde-du-corps de veiller à ce qu'on ne fasse pas d'exception.

Mon premier visiteur fut un employé du K.G.B. qui se plaignit de la corruption, florissante dans la région. Depuis le départ de Rachidov, rien n'avait changé, disait-il, le nouveau premier secrétaire du parti acceptait autant de pots-de-vin que son prédécesseur. Mon interlocuteur me fournit un certain nombre de pièces à conviction, concernant Ousmankhodjaïev, le nouveau secrétaire, et me pria de prendre des mesures. « Il n'y a que Moscou qui le puisse, souligna-t-il; ici, la moindre tentative se heurte à la résistance de l'appareil. » Je promis d'étudier très soigneusement le dossier qu'il m'avait apporté et, s'il était aussi sérieux qu'il le semblait, d'en parler à qui de droit.

Les visiteurs se succédèrent et, deux jours durant, j'entendis des histoires, invraisemblables mais bien réelles, de corruption au niveau le plus élevé du parti.

Il en ressortait qu'on pouvait acheter tout le monde, du

haut en bas de l'échelle, et qu'il fallait avoir un sacré courage pour rester honnête, échapper à ce système magnifiquement rodé. C'étaient justement ces gens-là qui venaient me trouver.

On a beaucoup parlé, depuis, de ces « affaires », mais à l'époque j'étais en état de choc. Je me promis d'en entretenir Gorbatchev dès mon retour à Moscou.

Alors que je m'apprêtais à rentrer, il m'arriva une histoire très symptomatique. Je demandai ma note au restaurant, à l'hôtel où je logeais. On me répondit que tout était payé. Je priai mon chef de la sécurité d'expliquer à mes hôtes que je ne plaisantais pas, que je voulais ma note. Il revint découragé : mes repas étaient payés, en vertu d'un article spécial du réglement du Comité central de la république, il avait vérifié. Je perdis mon calme et, presque en hurlant, allai moi-même réclamer mon addition...

A Moscou, je me plongeai aussitôt dans les documents que j'avais rapportés et m'en fus trouver Gorbatchev. Je lui brossai un tableau détaillé de la situation et lui dis, pour finir, qu'il importait de prendre sans délai des mesures draconiennes. Il fallait aussi absolument régler le cas d'Ousmankhodjaïev. Gorbatchev se mit en colère, prétendit que je n'avais rien compris, qu'Ousmankhodjaïev était un communiste honnête, aux prises avec l'ancienne équipe de Rachidov, une mafia qui tentait de le compromettre par des allégations mensongères. J'insistai : « Mikhaïl Sergueïevitch, je reviens de là-bas, je vous assure qu'Ousmankhodjaïev s'est parfaitement adapté à la situation et qu'il s'enrichit grâce à un système qu'il n'a même pas eu la peine de mettre en place. » Gorbatchev répondit qu'on m'avait induit en erreur; d'ailleurs, Egor Kouzmitch Ligatchev se portait garant d'Ousmankhodjaïev. Que pouvais-je dire à cela? La caution du numéro deux du parti avait un fameux poids. Avant de partir, je priai seulement Gorbatchev d'y regarder à deux fois, l'affaire était trop sérieuse...

On connaît la suite. Alors que j'étais en disgrâce, Ousmankhodjaïev dut abandonner ses fonctions, puis il fut arrêté et jugé. J'avoue ne savoir que penser de la caution de Ligatchev.

Mais je brûle les étapes. Nous n'en sommes pas encore là. Pour l'instant, j'étais secrétaire du Comité central et j'essayais de mettre au point un programme concret, afin de sortir de la crise le domaine d'activité dont j'avais la charge.

J'ignorais encore que mon destin était scellé. Soudain, la sonnerie du téléphone retentit dans mon cabinet. J'étais convoqué d'urgence au Politburo.

CHAPITRE VI

6 mars 1989

CHRONIQUE DES ÉLECTIONS

Je me demandais parfois, en voyant mes adversaires accumuler les gaffes, comment je m'y serais pris si j'avais dû mener l'offensive contre le candidat Eltsine.

J'aurais certainement agi moins stupidement. J'aurais commencé par ôter tout mystère à ce nom détesté, j'aurais fait d'Eltsine un candidat ordinaire, comme Petrov ou Sidorov. J'aurais autorisé, obligé revues et journaux à multiplier les interviews avec lui et, au bout d'un mois, les gens en auraient été saturés. Même tactique pour la télévision : il aurait fallu qu'il apparaisse souvent sur le petit écran, mal à propos de préférence, dans toutes les émissions possibles et imaginables – « L'heure villageoise », « Je sers l'Union soviétique », « Regard », « Le temps », « Le kiosque à musique » – jusqu'à ce que les spectateurs ne puissent plus supporter ses discours. Alors, on aurait eu une chance de le blackbouler.

Dans la réalité, on s'ingéniait à me tailler une auréole de martyr. La presse officielle faisait l'impasse sur moi, seuls les médias occidentaux demandaient à me rencontrer. Chaque nouvelle manigance à mon endroit ajoutait à l'indignation des Moscovites. Et comme cela n'arrêtait pas, je peux dire que mes détracteurs ont assuré ma victoire.

Beaucoup croyaient, d'ailleurs, ou feignaient de croire

que le premier secrétaire du comité de Moscou, L. Zaïkov, travaillait secrètement pour moi. Et l'on me conseillait, au cas où je serais élu, de lui téléphoner pour le remercier de son « soutien jamais démenti ». Mes adversaires manquaient à ce point de psychologie que leurs tentatives se retournaient contre eux.

Les journalistes occidentaux voulaient connaître ma stratégie électorale, le secret de ce qui serait, je l'espérais, ma victoire future. Cela peut paraître simplet, mais je n'avais qu'une tactique : le bon sens. Je me refusais à humilier de quelque façon que ce soit le candidat qui se présentait contre moi. Lors des réunions, des meetings, je m'attachais à ne dire que la vérité, aussi désagréable et peu flatteuse qu'elle fût. Avant toute chose, je prônais le « parler vrai ». Mais il fallait également « sentir » les gens. C'était capital.

J'avais, presque quotidiennement – et même deux fois par jour le dernier mois – des rencontres avec d'énormes collectifs. C'était épuisant, mais cela me regonflait, me renforçait dans ma conviction que tout irait bien. Je commençais à croire qu'avec des gens comme ceux-là, qui avaient tant soif de justice, qui voulaient tellement le bien, nous finirions par sortir du gouffre où nous étions tombés.

J'aimais moins les meetings, surtout lorsqu'ils rassemblaient des milliers de personnes. Or, certains jours, à Loujniki[1]*, on atteignait les cent mille. Impossible, dans ces conditions, de distinguer les visages, de regarder les électeurs dans les yeux. Le contact ne passe pas de la même façon. Néanmoins, les meetings sont une fantastique école – sans doute la plus difficile – pour un homme politique. Il y suffit d'un mot pour emporter l'adhésion de la foule, et d'une phrase malencontreuse pour qu'on vous jette à bas de la tribune.*

Je regrette, personnellement, que Gorbatchev n'orga-

1. Grand stade de Moscou.

nise jamais de meetings. Cela lui serait plus qu'utile, à lui qui ne s'adresse qu'à des gens triés sur le volet, bien préparés, des gens qu'on lui transporte dans des cars et qui sont censés représenter les masses laborieuses. Qui sait, peut-être y viendra-t-il?

Le meeting est, dans le combat politique, une arme redoutable. Pas question, ici, de contenir son émotion ni d'user d'expressions policées, comme au Parlement. Le moindre discours doit être d'autant plus pesé, précis, car chaque mot compte. Je ne saurais donner un chiffre exact, mais j'ai bien dû participer à plus de vingt meetings importants. Quels sentiments confus, complexes, m'envahissaient quand j'entendais la foule se mettre à scander en m'apercevant : « Eltsine! Eltsine! » Des hommes, des femmes, des jeunes, des vieux... On n'éprouve alors, curieusement, ni joie ni plaisir. On ne songe qu'à se précipiter à la tribune, à s'emparer du micro et à parler, parler, pour freiner cette vague d'enthousiasme. Quand le public écoute, l'atmosphère s'en trouve changée. La foule est versatile, c'est la raison pour laquelle je redoute ses moments d'euphorie. Un jour, elle vous porte aux nues, le lendemain elle vous retire sa confiance. Il ne faut pas se faire d'illusions.

Souvent, à la fin d'un meeting, j'étais en désaccord avec mon état-major de campagne, qui mesurait le succès de la rencontre à la vigueur avec laquelle on avait scandé mon nom. J'essayais de lui démontrer que cela ne signifiait rien.

Je serai toujours reconnaissant à mon état-major de campagne de son soutien totalement désintéressé, de sa sincérité, de son dévouement, de sa fidélité à toute épreuve. Beaucoup estimaient que j'avais commis une erreur aussi fatale qu'impardonnable en le constituant, non de politiques, de spécialistes, mais d'hommes simples, intelligents, de braves gens. Je ne connaissais aucun d'eux avant la campagne. Ils m'avaient téléphoné, étaient venus me voir, m'avaient proposé leurs services. Je les avais remerciés et leur avais dit d'y réfléchir à deux fois, car la tâche serait ardue. Ils avaient répondu qu'ils en étaient conscients, avaient pris un congé sans solde et commencé à œuvrer. Je n'exagère pas : ils étaient sur le pied de guerre, jour et nuit... A la tête de l'état-major se trouvait Lev Evguenievitch Soukhanov, un homme d'une parfaite abnégation, qui se chargeait à lui seul de coordonner ma campagne.

Des gens extraordinaires. Jamais je ne les remercierai assez.

« Quels étaient vos principaux défauts lorsque vous occupiez le poste de premier secrétaire du comité de Moscou? L'autoritarisme en fait-il partie? »

« Est-il exact que dès votre premier contact avec les Moscovites, vous avez reçu des lettres de mafiosi du parti ou de leurs femmes, menaçant de " briser les ailes fragiles de la perestroïka "? »

(Extrait des questions posées par les Moscovites au cours de la campagne).

Le 22 décembre 1985, alors que j'étais secrétairc du Comité central depuis quelques mois seulement, je fus convoqué au Politburo. J'ignorais de quoi il retournait. Lorsque je vis que les autres secrétaires n'assistaient pas à l'entrevue, que seuls les membres du Politburo étaient présents, je compris que je serais sur la sellette. Gorbatchev tint à peu près ce discours : le Politburo s'était réuni et avait décidé que je prendrais la tête de l'organisation du parti de Moscou, soit près d'un million deux cent mille communistes, sur une population de neuf millions de personnes. Ce fut pour moi comme un coup de tonnerre. Je me levai et entrepris d'expliquer que ce choix était absurde. J'étais un ingénieur du bâtiment, j'avais une longue expérience de la production. J'avais quelques idées pour sortir la construction de l'impasse où elle se trouvait, j'avais même amorcé quelques tentatives dans ce sens. Je serais plus utile en conservant mon poste de secrétaire du Comité central. Par ailleurs, je connaissais peu les cadres du parti à Moscou, ce qui compliquerait encore ma tâche.

Gorbatchev et les membres du Politburo s'attachèrent à me convaincre que c'était indispensable pour évincer Grichine : à Moscou l'organisation du parti se sclérosait; ses méthodes, loin d'en faire un exemple à imiter, la plaçaient à la traîne de l'ensemble du pays. Grichine ne se souciait guère des hommes, de leurs besoins véritables, il négligeait son travail, n'avait en tête que manifestations grandioses, réglées comme du papier à musique. Bref, il fallait sauver le parti dans la capitale.

La discussion ne fut pas une partie de plaisir. On me rappela, une fois de plus, la discipline du parti; on m'assura que je serais d'un grand secours à ce poste. Comprenant qu'on ne pouvait abandonner l'organisation de Moscou à son sort et ne voyant personne à qui infliger ce fardeau, finalement j'acceptai.

Je me suis souvent demandé par la suite pourquoi Gorbatchev avait pensé à moi. Sans doute mon expérience de presque dix ans à la tête d'une des plus grosses organisations du pays et ma connaissance de la production y étaient-elles pour quelque chose. Il avait aussi pu apprécier mon caractère et savait que j'étais capable de déblayer le terrain, de combattre la mafia, d'effectuer un renouvellement complet des cadres. J'étais peut-être seul susceptible, alors, de mener à bien cette tâche à laquelle il tenait tant. Je cédai à contrecœur, non parce que je redoutais les difficultés, mais parce qu'on se servait de moi pour renverser Grichine. Ce dernier n'était pas un aigle, il était, de plus, dénué de tout sens moral, pédant et obséquieux jusqu'à la servilité. Il ne lésinait jamais sur les moyens de plaire aux « chefs ». Infatué au dernier degré, il comptait bien devenir Secrétaire général. Il ne négligea rien pour prendre le pouvoir mais, par bonheur, on l'en empêcha.

Il avait corrompu, sinon toute l'organisation du parti à Moscou, du moins la direction du comité de ville. L'autoritarisme régnait en maître dans l'appareil. Or, il n'est rien de pire qu'un tyran inintelligent. Le résultat s'en faisait sentir dans les affaires sociales, le niveau de vie des habitants, l'aspect extérieur de la capitale. On y vivait moins bien que vingt ans auparavant. Les rues étaient sales, constamment encombrées de gigantesques files d'attente...

Le 24 décembre se tint le plénum du comité de ville, où Gorbatchev prit la parole. Grichine annonça son départ en retraite – procédé classique pour évacuer les gêneurs. Il me proposa pour lui succéder, ce qui n'eut l'air d'étonner personne. D'une phrase je remerciai l'assemblée de la confiance qu'elle m'accordait et promit que chacun allait travailler dur. Le plénum se déroula sans problèmes.

La conférence où l'on devait faire le bilan et procéder aux élections pour la ville de Moscou, était fixée en février. Je m'attendais à devoir y mener une bataille décisive. La vieille garde de Grichine essaierait forcément de restaurer l'ancien ordre des choses, et pas seulement à Moscou.

Je devais me préparer soigneusement à la conférence. Pour mon rapport, je rencontrai des dizaines de personnes, visitai les entreprises de la capitale, étudiant leur situation, cherchant, avec les spécialistes, le meilleur moyen de sortir de la crise. Mon discours dura deux heures et, quand j'eus terminé, Gorbatchev me dit : « Voilà un souffle nouveau ! » Mais il n'eut pas un sourire approbateur, son visage n'exprima rien.

Il fallait pratiquement tout reprendre à zéro. En premier lieu, changer le bureau du comité de ville, entièrement composé « d'hommes de Grichine ». Ce dernier n'était plus qu'un fantoche depuis longtemps. Il n'avait jamais eu de poigne et quand la perestroïka prit forme, sa présence au Politburo devint purement et simplement compromettante pour l'organe suprême du parti. Gorbatchev a toujours été indécis. Avec Grichine aussi, il laissa traîner les choses, il aurait dû s'en débarrasser bien avant. Lorsque je pris la situation en main et tentai de réparer les dégâts, Grichine ne se manifesta pas. J'entendais dire qu'il était furieux de certaines de mes décisions, mais ce n'étaient que des bruits, il ne me mettait pas de bâtons dans les roues.

On essaya de constituer un dossier contre lui, mais on ne découvrit rien, juridiquement, qui pût le couler. Les pièces à conviction avaient vraisemblablement été détruites, puisqu'on ne trouva même pas trace de son entrée au parti. Les rumeurs les plus incroyables courent sur le compte de Grichine; impossible, pourtant, de prouver quoi que ce soit. Sait-on jamais : peut-être le K.G.B. dispose-t-il de documents intéressants?

Je m'attendais qu'il montre le bout du nez quand je m'attaquerais aux cadres qu'il avait installés. Il essaya, en effet, par personnes interposées, de téléguider mon choix du nouveau président du comité exécutif. Chaque fois qu'un poste clé était en jeu, je n'excluais pas la possibilité d'une manœuvre de Grichine et multipliais les ruses pour éviter qu'il ne me colle un de ses sbires. L'appareil du comité de Moscou – et plus spécialement ceux qui avaient travaillé avec Grichine – devait être renouvelé. Ces apparatchiks présentaient toutes les tares de l'époque de la stagnation. Ils se conduisaient comme des larbins. Il était impossible de les rééduquer, l'habitude de la servilité ayant été prise depuis trop longtemps. On ne pouvait que les jeter dehors, et je m'y employai.

Je me débarrassai immédiatement des adjoints, puis, progressivement mais radicalement, remplaçai les membres du bureau, transformai l'appareil. Je me mis en quête d'hommes nouveaux. Au Comité central, on me recommanda A. Zakharov comme deuxième secrétaire. Il travaillait depuis quelque temps à la section scientifique du Comité, après avoir été secrétaire du comité régional de Leningrad.

Le poste de président du comité exécutif du soviet de Moscou était occupé par Promyslov, de sinistre mémoire. Les Moscovites avaient coutume de plaisanter ainsi sur son compte : « Promyslov a fait une escale à Moscou entre Washington et Tokyo. » Il vint me voir au lendemain de ma nomination et déclara, à peine franchi le seuil : « Il était absolument impossible de travailler avec Grichine. » Et il entreprit de le démolir. Puis, sans transition : « Comme je suis heureux que vous soyez notre nouveau premier secrétaire, Boris Nikolaïevitch ! » Il conclut en disant qu'il venait de trouver son second souffle, qu'il se sentait plein d'énergie pour au moins un nouveau plan quinquennal. Je fus obligé de l'arrêter. Je l'informai que je voyais les choses tout autrement. Je lui conseillai assez sèchement de partir en douceur, de prendre sa retraite. Il amorça encore quelques tentatives, mais je coupai court : « J'attends votre lettre demain à midi. » Et j'ajoutai, en me levant, afin de lui signifier que l'entretien était clos : « Je vous demanderai d'être ponctuel. » Le lendemain, il ne se montra pas. Je lui téléphonai, lui dis qu'il m'avait sans doute mal compris, que je lui avais proposé de partir en douceur, mais qu'on pouvait aussi recourir à d'autres méthodes... Il ne se le fit pas dire deux fois. Vingt minutes plus tard, j'avais sa lettre.

Je reçus ensuite, en deux jours, quatre propositions de candidatures pour le poste de président du soviet de Moscou. Elles venaient de divers groupuscules. Chacun essayait de placer son homme : le maire est un personnage important, bien des choses dépendent de lui. Je décidai d'employer une tactique assez inhabituelle. Je me rendis aux usines ZIL. J'y restai de huit heures à deux heures du matin, passai dans les ateliers, rencontrai des ouvriers, des techniciens, les militants du parti, des constructeurs, des responsables de secteur. Mais ce n'était qu'un aspect de la situation. Pour compléter, je demandai à voir V. G. Saïkine, le directeur général. J'enregistrai les moindres détails de son comportement : comment il s'adressait aux ouvriers, à ses subordonnés, au secrétaire du comité du parti, à moi aussi. Je réfléchis quelques jours et conclus qu'il serait un bon président, à condition d'être soutenu les premiers temps. J'appelai M. S. Gorbatchev pour lui faire part de mon idée et reçus son approbation. Saïkine ne répondit pas tout de suite. Il réfléchit de son côté, puis accepta.

Les secrétaires du comité furent remplacés à leur tour. J'allai rendre visite à la rédaction du journal *Moskovskaïa Pravda* et eus, avec ses membres, pendant plus de quatre heures, une discussion franche et sincère. Un nouveau rédacteur en chef avait été nommé, Mikhaïl Nikiforovitch Poltoranine, qui, auparavant, travaillait à la *Pravda*. C'était un journaliste de talent, un homme droit, et l'atmosphère changea aussitôt au journal. Des articles parurent, qui en effrayèrent plus d'un. Je me souviens, par exemple, de celui intitulé « Des carrosses à la porte », sur les voitures de fonction. Il eut un grand retentissement à Moscou. Ces articles semblaient alors extraordinairement audacieux. Poltoranine avait immédiatement été convoqué au Comité central. Avant de le recevoir, on m'avait téléphoné pour savoir ce que j'en pensais. J'avais répondu que je ne voyais là rien d'anormal. Le journal *Moskovski Komsomolets* publia aussi des articles sur la drogue, la prostitution, l'organisation du crime, qui firent grand bruit. Jamais auparavant, ces sujets n'avaient été abordés. Les journaux de Moscou avaient décidément cessé d'être dociles. Je ne pouvais que m'en réjouir. On me laissait parfois entendre qu'il n'était pas souhaitable de révéler ainsi les problèmes de notre cité. C'était tout de même la capitale... Je répliquais invariablement : « Ces problèmes existent, non ? Alors, il faut en parler. Ce n'est pas en masquant nos plaies que nous les guérirons. Nous devons aborder ouvertement ce qui ne va pas, aussi pénible que ce soit. »

Je rencontrai la rédaction moscovite de la télévision. Un nouveau rédacteur en chef avait, là encore, été nommé. Des émissions intéressantes étaient proposées qui – c'est le plus important – concernaient les habitants : « Moscou et les Moscovites », « Bonsoir, Moscou », etc. La télévision reprenait vie.

Il est clair que cela ne pouvait plaire à tout le monde. Comme les articles de presse, les émissions suscitèrent des réactions négatives. J'ai déjà dit que Poltoranine avait été convoqué au Comité central. Une fois, il dut attendre plusieurs heures devant le cabinet d'un fonctionnaire important. C'était scandaleux et je le défendais tant que je pouvais. Gorbatchev, de son côté, était submergé de plaintes, et il me dit un jour, au Politburo : « Il en fait de belles, votre Poltoranine ! » Je rétorquai : « Notre Poltoranine mène bien son journal, le tirage augmente. Surveillez plutôt votre Afanassiev [1] » : à l'époque, chacun savait que le nombre d'abonnés à la *Pravda* était en chute libre, alors même que les communistes étaient obligés d'y souscrire, puisque c'était le grand journal du parti.

Quand on me remercia, il devint évident que Poltoranine ne tiendrait pas longtemps. Et, en effet, il ne tarda pas à être mis dehors.

En attendant, nous luttions pied à pied pour sortir Moscou du marasme.

Tout était à revoir : les cadres, l'aménagement ; on avait du retard, dans presque chaque domaine, sur le plan de développement de 1972. Avec les *limittchikis*, venus travailler des quatre coins du pays (ils étaient près de sept cent mille), la population dépassait d'un million cent mille personnes le chiffre prévu pour 1986. Si l'on ajoutait les

1. Il s'agit de Victor Afanassiev et non du député du peuple Iouri Afanassiev.

visiteurs – trois millions l'été, deux l'hiver – pour lesquels rien n'était conçu, le résultat était assez triste à contempler : des queues interminables, partout la saleté, des moyens de transports bondés. La ville était au bord de l'explosion. La situation n'était pas plus brillante dans le domaine culturel. On comptait, pour mille personnes, moins de places de théâtre qu'en 1917.

Au début, les secrétaires du Comité central et les membres du Politburo s'efforcèrent de nous aider : Gorbatchev y tenait, surtout la première année. C'est alors que j'eus l'idée d'organiser des foires permanentes, pour faire plaisir aux Moscovites et à nos hôtes de passage. On installa dans chaque quartier, là où il y avait de la place, des maisonnettes de bois, des éventaires. Des accords furent passés directement avec les villes et les républiques, afin d'assurer les livraisons de fruits et de légumes. Le projet démarra. Cela ne marcha pas partout mais, en de nombreux endroits, ces petites foires prirent des allures de véritable fête quotidienne. C'était d'autant plus important qu'à Moscou, les réjouissances devenaient rares. Les foires continuent de vivre aujourd'hui, les Moscovites y ont pris goût. Sans doute les voient-ils comme une de leurs réalisations et n'imaginent-ils plus leur ville sans elles.

J'appliquai à Moscou certaines de mes méthodes de Sverdlovsk, telles que les rencontres avec la population. J'en organisai une pour les responsables de la propagande. Dans la vaste salle de la Maison d'instruction politique, se rassemblèrent près de deux mille personnes. Je fis d'abord un exposé, puis annonçai que je répondrais aux questions, à toutes les questions, même les plus désagréables. Il y en eut, mais peu. Comme celle-ci : « Tu as décidé, Eltsine, de t'attaquer à la mafia de Moscou ? Seulement, Khrouchtchev y avait pensé avant toi. Il a voulu nous mettre en cabane, et tu connais le résultat ? Si tu t'entêtes, dis-toi bien que dans deux ans tu n'es plus là. » Le plus drôle, c'est que la prédiction s'est réalisée : deux ans plus tard, j'étais relevé de mes fonctions de secrétaire du comité de Moscou et quittais le Politburo. Mais je ne crois pas que la mafia y soit pour quelque chose. C'est une simple coïncidence. Voici cependant quelques exemples.

Des lettres commencèrent à affluer, dénonçant des cas concrets de corruption, dans le commerce, la milice. On procéda à des enquêtes, sans parvenir à démanteler le système; peut-être n'y tenait-on pas vraiment. L'Intérieur, le K.G.B. municipal, les nouveaux responsables du commerce, de l'alimentation collective vinrent à la rescousse. Des têtes tombèrent. Et les trafics reprirent tranquillement.

Les gens étaient témoins de fraudes de plus en plus nombreuses, ils écrivaient pour se plaindre, le plus souvent anonymement. Je me contenterai de citer des faits que jai moi-même constatés. Le combinat de viande était particulièrement visé : on parlait de statistiques truquées dans l'abattage (la même bête était « tuée » plusieurs fois), de pots-de-vin, de vols. Le tout couvert par le premier secrétaire du comité de district. La question fut portée devant le bureau du comité de ville du parti.

J'entendais dire qu'un magasin avait reçu une livraison de veau. Je m'y rendais aussitôt, prenais la file d'attente : à l'époque, on me connaissait moins. Lorsque venait mon tour, je demandais : « Un kilo de veau. » On me répondait qu'il y avait du bœuf, pas de veau. « C'est faux. Appelez-moi le directeur. » Certains commençaient à comprendre, le ton montait. J'insistais pour aller visiter la réserve et j'y trouvais du veau que l'on commençait à charger discrètement par la fenêtre, pour l'embarquer Dieu sait où. Je remuais ciel et terre. La direction ne tardait pas à sauter.

Ou encore, à la cantine d'une usine : « Pourquoi n'y a-t-il pas de carottes? – On n'a pas été livré. » Je vérifie, avec les responsables de l'usine. Il apparaît que la livraison a été faite, mais aussitôt transportée ailleurs. Du moins, aux dires des livreurs, car il n'y a pas trace du moindre papier officiel. Ni vu ni connu!

Un magasin d'alimentation. Dans le bureau du directeur, plusieurs paquets contenant des délicatesses. « Pour qui ? – Ce sont des commandes. – Et n'importe quel citoyen peut commander ? » Un silence. Il faut alors s'expliquer avec le directeur, bientôt contraint d'admettre que les commandes sont réparties hiérarchiquement au comité exécutif de la ville, au ministère des Affaires étrangères, au comité de district du parti, à certaines instances municipales, etc. Le poids, le choix, la qualité varient en conséquence.

J'examine le bilan d'une série de produits. Curieusement, les livraisons sont, pour chacun, supérieures de plusieurs milliers de tonnes à la consommation, compte tenu des pertes normales.

Personne ne dévoile le système. Mais la chance me vient en aide. On sait, depuis un moment, que je fais de fréquentes descentes dans les magasins, sur les marchés, dans les entrepôts. On sait à quoi je m'intéresse, et pourtant les gens ont peur de me parler.

Et voilà qu'un jour, une jeune femme me rattrape, alors que je sors, à pied, d'un magasin : « J'ai quelque chose d'extrêmement important à vous dire. » Je lui fixe aussitôt un rendez-vous au comité de ville.

Je ne peux aujourd'hui encore évoquer sans indignation ce qu'elle m'a raconté du système de pots-de-vin, de gratifications. Elle venait d'y être initiée et n'avait pas tenu le coup. Tout était prévu. Le vendeur « devait » tromper le client et remettre quotidiennement une somme précise à un responsable financier, qui en gardait une partie et donnait l'autre à la direction du magasin. Celle-ci continuait le partage selon la hiérarchie. Dans les entrepôts, on payait une taxe. Chacun connaissait deux, trois personnes auxquelles il était directement lié. Il y avait en outre un système de pots-de-vin à une plus grande échelle.

Je fis l'impossible pour qu'on n'identifie pas mon interlocutrice. Elle avait très peur, me demandait de la protéger. On la transféra dans un autre magasin et on étudia le problème en petit comité. Il fut décidé de ne pas se contenter de mettre dehors un ou deux coupables, mais de changer le personnel de secteurs, de magasins entiers, des équipes, les remplaçant par des jeunes non encore « contaminés ». Plus de huit cents personnes furent appelées à répondre devant les tribunaux.

Ce n'est là qu'une partie de la mafia. L'économie souterraine (15 % de l'économie), la mafia liée aux milieux politiques nous restèrent inaccessibles. On ne nous laissa pas y mettre notre nez.

Le comité de ville sembla ensuite se désintéresser un peu du problème.

Pour les Moscovites habitués aux discours interminables, vides et soporifiques de Grichine, des rencontres comme celles que j'organisais, ouvertes, franches, étaient un événement. Moi, j'étais heureux de réunir des gens qui partageaient mes idées et à qui le travail ne faisait pas peur.

Car la tâche qui nous attendait – chacun en avait conscience – était gigantesque. Sur trente-trois premiers secrétaires de comité de district, il fallut en changer vingt-trois. Tous ne partirent pas pour incompétence notoire. Certains eurent une promotion. D'autres, en revanche, durent quitter leur fauteuil, après un entretien très direct avec moi, au bureau du comité de ville ou au plénum du comité de district du parti. La plupart admettaient qu'ils étaient incapables d'adopter de nouvelles méthodes, et s'en allaient. Il restait à convaincre les autres. Un processus douloureux.

Le choix des remplaçants ne fut pas toujours le meilleur. Dans certains cas, ce fut un coup pour rien. Certaines nominations se révélèrent absurdes, les nouveaux venus ne risquaient pas d'améliorer la situation dans les districts. Ces ratés s'expliquent de plusieurs façons. D'une part, je ne connaissais pas assez les cadres de Moscou. D'autre part, la sélection s'effectuait sur dossier. De fait, plus que l'homme, on promouvait le dossier du nomenklaturiste.

Quand on me reprocha par la suite d'avoir impitoyablement « purgé » les premiers secrétaires, je m'aperçus que si j'avais renouvelé 60 % des effectifs des comités de district, Gorbatchev, lui, avait atteint les 66 % dans les comités de région. Alors qui, de moi ou du camarade Gorbatchev, y était allé un peu fort?

Il faut dire qu'il n'avait, comme moi, d'autre solution : il importait de se débarrasser de ceux qui freinaient la perestroïka. Des gens inaptes à sortir de la période de stagnation, qui ne voyaient dans le pouvoir qu'un moyen d'assurer leur bien-être et de satisfaire leur folie de grandeur. Des roitelets de districts. Allions-nous les laisser en place? Visiblement, j'aurais dû, puisqu'on a tellement attaqué, par la suite, ma politique de renouvellement des cadres.

Je garde une impression pénible du tragique accident survenu au premier secrétaire du district Kievski. Il se suicida en se jetant par la fenêtre, du sixième étage. Il n'était plus au comité depuis six mois, ayant été muté au ministère des Métaux non ferreux, adjoint au responsable de la direction des cadres. Tout semblait aller pour le mieux. Et soudain, le drame. Il avait reçu un coup de téléphone et avait sauté dans le vide. On devait ensuite tenter de m'en imputer la responsabilité, déclarer que le secrétaire s'était suicidé parce que je l'avais démis de ses fonctions. Le bruit courut qu'il sortait du bureau du comité, lorsqu'il s'était donné la mort. C'est faux, naturellement. Et j'avoue ne pas comprendre qu'on ose utiliser de pareilles tragédies comme cartes dans le jeu politique.

Il y eut, dans ma bouillonnante activité de premier secrétaire, un autre épisode qu'on ne manqua pas de me rappeler : « Pamiat ».

Je reçus un appel de la direction chargée de l'Intérieur. Sur un ton de panique, on m'informa que « Pamiat » manifestait en plein Moscou.

C'était le premier meeting non autorisé dans la capitale. Sur la place du Cinquantenaire d'Octobre, trois cents ou quatre cents personnes, cinq cents peut-être, étaient rassemblées. Les manifestants ne bougeaient pas. Ils avaient déployé des banderoles, dont le contenu n'avait rien de bien méchant : quelques slogans sur la perestroïka, la Russie, la liberté, la corruption de l'appareil. Et puis ce mot d'ordre : « Nous voulons voir Eltsine ou Gorbatchev. » Saïkine était allé discuter à plusieurs reprises, mais les manifestants ne voulaient pas se disperser. Plusieurs heures passèrent, la foule continuait de grossir. Il fallait prendre des mesures.

Notre Constitution a beau être très libérale, seuls deux rassemblements étaient autorisés chaque année : le 1er mai et le 7 novembre. Dans le cas présent, il y avait un moyen éprouvé de régler le problème : envoyer la milice, encercler les manifestants et leur enjoindre, une dernière fois, de se disperser dans le calme. S'ils refusaient, on emploierait la force, on procèderait à des arrestations. Et tout serait parfait, comme à l'accoutumée. Je décidai d'agir différemment. J'annonçai que j'allais recevoir les manifestants. A dater de ce jour, des gens malveillants – c'est peu dire! – m'accusèrent d'avoir des liens avec « Pamiat ». Mes adversaires auraient nettement préféré que j'emploie la manière forte.

Je demandai à Saïkine d'informer les meneurs – il me semble que Vassiliev était alors à la tête de « Pamiat » – que je recevrais les manifestants. Je proposai trois lieux de rendez-vous : la Maison des soviets, le comité de ville du parti ou la Maison d'instruction politique. Ils choisirent la Maison des soviets et s'y rendirent en cortège. La rencontre eut lieu dans la grande salle qui pouvait accueillir mille personnes. Quand tous furent installés, je leur proposai d'exposer leurs revendications. Plusieurs prirent la parole. Il y eut quelques suggestions de bon sens, concernant la préservation de la langue russe, le rétablissement de la vérité historique, la nécessité de protéger les monuments du passé, etc. Il y eut aussi des déclarations extrémistes. Puis vint mon tour de parler. Je leur dis que s'ils se souciaient vraiment de l'avenir de la perestroïka et des destinées du pays plus que de leurs ambitions personnelles, ils devaient être capables de faire le ménage dans leurs rangs et d'en chasser les extrémistes. « Présentez-nous votre programme, vos statuts et, si vous voulez agir dans le cadre de la Constitution, demandez à être enregistrés en tant qu'organisation sociale, et mettez-vous à l'ouvrage. » Là, s'arrêtèrent mes contacts avec « Pamiat ». Le « cadre de la Constitution », les « statuts », tout cela ne les intéressait guère. La partie saine du mouvement ne tarda pas à faire scission. Je n'eus pas d'autre occasion de rencontrer « Pamiat ».

Nous travaillions alors avec un enthousiasme inouï. Non seulement, au sommet, on avait confiance en moi, mais on m'aidait. On savait ce que représentait Moscou, on comprenait qu'il fallait rétablir l'ordre dans la capitale. Le responsable de la direction de l'Intérieur, celui du K.G.B., leurs adjoints, de nombreux chefs de grandes administrations furent remplacés.

J'exigeai de la direction de l'Intérieur et du K.G.B. qu'ils m'informent régulièrement de la situation dans la ville et me tiennent au courant de tout événement exceptionnel. Je tentais de les aider de mon côté, en appelant à la rescousse l'opinion publique, les organes du parti, les soviets, les entreprises. On déclenchait des opérations « coup de poing ». Toutes les forces de l'ordre dont nous disposions étaient mises sur le pied de guerre et ratissaient chaque quartier, chaque cour, chaque cave ou grenier, chaque maison en ruine. Ces raids donnaient d'assez bons résultats. Outre qu'ils permirent de liquider des « foyers de tension » – planques, lieux de rendez-vous d'alcooliques, de drogués, de parasites en tous genres... – ils eurent l'avantage, à la surprise de la milice elle-même, de favoriser l'arrestation de plusieurs criminels, recherchés dans l'Union. Ces descentes n'avaient rien de spectaculaire, elles n'étaient pas décidées à des fins de promotion personnelle, mais avaient lieu constamment. Nous en variions la fréquence, le rythme, afin que ceux qui avaient de bonnes raisons de redouter la milice ne puissent prendre leurs précautions et échapper à « l'épuration ».

Moscou, je l'ai dit, était surpeuplée. Je voulus me convaincre par moi-même – les statistiques ne me suffisaient pas – que la situation dans les transports atteignait le point de rupture. Je me fixai non seulement de prendre le métro, ou l'autobus, fût-ce à une heure de pointe, mais d'expérimenter vraiment ce que vivaient les Moscovites en se rendant à leur travail.

Je savais, par exemple, que de nombreux ouvriers de l'usine Khrounitchev vivaient à Stroguino, un nouveau quartier de la capitale. J'y allai à six heures du matin, montai dans l'autobus avec les ouvriers à moitié endormis, puis dans le métro. Les gens, fatigués, tendus, énervés, m'en apprirent beaucoup sur nous, les chefs, qui avions ruiné le pays... De nouveau l'autobus et, à sept heures quinze, début de la journée de travail, j'étais aux portes de l'entreprise. Je fis plusieurs expéditions de ce genre.

La réaction du Politburo à mon initiative fut assez extraordinaire. Personne n'exprimait ouvertement sa désapprobation, mais des échos me parvenaient par-ci, par-là : on me trouvait irritant. Et quand les critiques se mirent à pleuvoir sur moi, toute la hargne accumulée se déversa soudain. Mes voyages dans les transports en commun furent taxés de démagogie : une façon de devenir populaire à bon compte.

Quelle sottise! Je voulais avant tout savoir exactement ce qui se passait dans les transports, envisager des mesures pour améliorer la situation aux heures les plus chargées. Et des moyens furent mis en œuvre : on assouplit les horaires de travail le matin, on dégagea de nouveaux itinéraires...

Mais revenons-en au désir de popularité : pourquoi mes détracteurs ne m'imitaient-ils pas, si c'était si facile, s'il suffisait de prendre une fois le métro et le bus? Apparemment, cela ne les tentait pas. Il est vrai qu'il est plus confortable de se déplacer en ZIL. Personne ne vous écrase les pieds, ne vous bouscule, ne vous défonce les côtes. On circule rapidement, sans arrêts fastidieux, les feux n'existent plus, les agents de la circulation se mettent au garde-à-vous... quel plaisir!

Je dois dire que ces réactions m'étonnèrent. A Sverdlovsk, cela semblait très normal, on ne prêtait guère attention à la présence du premier secrétaire dans un tramway : s'il était là, c'est qu'il avait une raison... A Moscou, cela devenait un événement et les langues allaient bon train.

Plusieurs mesures importantes furent prises, tandis que j'exerçais les fonctions de premier secrétaire dans la capitale. Une résolution, que nous avions proposée, fut adoptée par le Politburo, concernant le développement de la ville. Nous y demandions, entre autres, que fût mis un terme au recrutement des *limittchikis*. Moscou en crevait, de ces *limittchikis*. Les chefs d'entreprise, qui avaient ainsi de la main-d'œuvre à bon marché, les employaient aux travaux les moins qualifiés. La modernisation des usines s'en trouvait freinée : il était tellement plus simple d'embaucher encore et encore des non-Moscovites, que de perfectionner les méthodes de production!

De fait, les *limittchikis* étaient les esclaves du socialisme développé [1] de la fin du vingtième siècle. Ils n'avaient pratiquement aucun droit. Ils étaient totalement

1. Expression consacrée pendant le règne Brejnev.

dépendants de l'entreprise qui leur assurait un droit de résidence temporaire, un logement en foyer, et qui jouait de leur désir – leur rêve! – de s'installer définitivement à Moscou. On pouvait faire n'importe quoi, enfreindre les lois et les règlements, ils n'iraient pas se plaindre! A la moindre velléité de se rebiffer, on leur retirait leur autorisation de résidence, et allez voir ailleurs! Beaucoup noyaient dans la vodka les humiliations qui leur étaient infligées, l'injustice dont ils étaient les victimes. Leurs foyers comptaient parmi les « points chauds » de la capitale en matière de criminalité. Et cependant, peu après mon départ, quelques organisations obtinrent à nouveau l'autorisation d'embaucher des *limittchikis*.

Nous prîmes une autre décision importante, durant cette période, concernant le déplacement hors de Moscou de certaines usines et fabriques polluantes, ou dont la production n'était pas destinée à la capitale. Des plans d'aménagement du centre furent conçus, qui prévoyaient de remplacer les innombrables bureaux par des magasins, des théâtres, des musées, des cafés et des restaurants.

Des actions d'envergure furent menées au MGUIMO [1], au ministère du Commerce extérieur, au ministère des Affaires étrangères. Les dossiers rapportés par les commissions de contrôle sur la situation dans ces respectables institutions, étaient accablants : ce n'étaient que combines, pistons, passe-droits, etc.

C'était l'exact reflet de la duplicité morale et de l'hypocrisie qui rongeaient notre société. La propagande, les discours dénonçaient hystériquement le capitalisme en décomposition, les terribles fléaux de la société occidentale, l'horreur de « leur » mode de vie, et j'en passe. Dans le même temps, les pontes de la nomenklatura se démenaient comme de beaux diables pour inscrire leur progéniture dans les instituts préparant aux carrières diploma-

1. Institut des relations extérieures, à Moscou, qui prépare, entre autres, les futurs diplomates.

tiques, avec séjours à l'étranger à la clef. Ils auraient raconté n'importe quels mensonges, n'importe quels contes à dormir debout sur le « socialisme développé », ou l'Occident vivant ses dernières convulsions, pourvu qu'on les envoie à l'Ouest en mission, qu'ils puissent s'y « décomposer » en un mois ou un an. Car là-bas, avec leurs indemnités, ils pouvaient acheter des magnétoscopes, les revendre chez nous dans les magasins d'occasion et en tirer un prix à nombreux zéros.

Il fallait remettre de l'ordre dans ces organisations longtemps soustraites à toute forme de critique. Pour le ministère des Affaires étrangères, ce fut assez facile. Chevarnadzé fut nommé et il régla rapidement leur compte aux pseudo-spécialistes qui avaient envahi le grand département de politique étrangère du pays. Au MGUIMO et au ministère du Commerce extérieur, les choses évoluèrent plus lentement, mais bougèrent tout de même : on changea la direction du parti, les responsables administratifs. Le redressement s'effectuait peu à peu.

J'avais beau être solide comme un roc, mon rythme de travail était insensé : de sept heures à minuit, une heure ou deux heures du matin, j'étais sur le pied de guerre. Pas question de prendre mon samedi. Quant au dimanche, je passais la moitié de la journée à faire la tournée des foires, à écrire mes discours, mes rapports, à répondre au courrier.

Quand j'entends dire qu'un responsable qui travaille vingt heures par jour est mal organisé, j'avoue que cela m'amuse. J'aurais pu, c'est vrai, rentrer chez moi, retrouver ma famille, à huit heures, après le bureau. Et tout le monde aurait pensé que je savais m'organiser. Mais que j'aille, en plus de mon travail, regarder ce qu'il y avait dans les magasins, que je discute ensuite, dans une usine, avec les ouvriers, constate par moi-même comment fonctionnait l'équipe de nuit et rentre chez moi à une heure impossible, c'était choquant, cela trahissait le désordre de mes méthodes. Allons donc! Belle justification pour les fainéants! A l'époque, le mot « loisirs » m'était absolument inconnu.

Je me souviens, j'arrivais devant chez moi, le factionnaire ouvrait la portière de ma ZIL, mais je n'avais pas la force de m'extraire de la voiture. Je restais ainsi cinq ou dix minutes, à essayer de reprendre mes esprits; ma femme me regardait, inquiète, depuis le perron. J'étais épuisé au point de ne pouvoir lui faire un signe d'amitié.

Je ne demandais pas, bien sûr, aux autres de m'imiter. C'est pourquoi je ne supporte pas ces discours sur les dirigeants incapables de s'organiser.

Malgré des améliorations visibles, malgré la vague d'enthousiasme qui soulevait le pays, je sentais que nous nous heurtions à un mur. Cette fois, les beaux discours tout neufs sur la perestroïka et la rénovation ne suffiraient pas. Il fallait du concret, il fallait aller de l'avant. Et Gorbatchev se refusait à bouger. Il craignait de toucher à la machine du parti et de la bureaucratie, ce saint des saints de notre système. Lors de mes rencontres avec les Moscovites, je m'avançais nettement plus. On le lui rapportait soigneusement, et nos relations commencèrent à se détériorer.

Je perçus d'abord une certaine tension au Politburo, non seulement à mon égard, mais envers les questions que je soulevais. J'étais un peu à l'écart. Cela s'aggrava après mes prises de bec avec Ligatchev, à propos des privilèges. Nous eûmes une nouvelle altercation concernant la résolution relative à la lutte contre l'alcoolisme et l'ivrognerie, lorsqu'il exigea la fermeture de la brasserie de Moscou et imposa des restrictions draconiennes dans la vente des boissons alcoolisées, y compris le vin et la bière.

Sa campagne antialcoolique était d'une absurdité et d'une bêtise absolues. Rien n'avait été pris en compte, ni l'aspect économique, ni l'aspect social. Ligatchev tranchait dans le vif et la situation empirait de jour en jour.

J'évoquai maintes fois le problème avec Gorbatchev. Mais il s'en tenait à une position attentiste. Il semblait clair, pourtant, qu'on ne viendrait pas à bout de l'ivrognerie, ce mal séculaire de notre pays, avec des méthodes relevant de la grosse artillerie. Les attaques contre moi se faisaient plus dures. Solomentsev montrait à présent autant de zèle que Ligatchev. On me citait des républiques en exemple : en Ukraine, la vente des boissons alcoolisées avait chuté de 46 %. Je répondais qu'on verrait d'ici quelques mois comment les choses tourneraient. Et, en effet, les gens se mirent à boire tout ce qui leur tombait sous la main. Ils commencèrent à « sniffer » un tas de saletés, et les bouilleurs de cru devinrent légion.

La consommation d'alcool ne diminuait pas. En revanche, le produit de la vente échappait à l'État, au profit de ceux qui fabriquaient clandestinement de quoi satisfaire la demande. Le nombre des intoxications, parfois mortelles, était catastrophique. Bref, alors que la situation était des plus préoccupantes, Ligatchev discourait sur le succès de la lutte anti-alcoolique. Il était alors le numéro deux du parti, commandait à droite et à gauche. Il était impossible de l'amener à changer d'avis. Je ne supportais pas son obstination, son amateurisme, mais personne ne me soutenait. Je commençais à me poser la question de l'avenir.

Je plaçais toujours mon espoir en Gorbatchev. Je me disais qu'il finirait par comprendre l'absurdité de cette politique de demi-mesures et de piétinements. Il me semblait avoir assez de pragmatisme, ou simplement d'intuition, pour admettre que le temps était venu de s'attaquer à l'appareil. On ne pouvait plaire à tout le monde : entre la nomenklatura et le peuple, il fallait choisir. Il ne resterait pas éternellement entre deux chaises.

Je lui demandai une audience. Je désirais avoir une conversation sérieuse avec lui. Cet entretien dura deux heures vingt minutes. Récemment, en triant des dossiers, j'ai retrouvé l'essentiel de notre propos : j'étais rentré surexcité, tout était frais dans ma mémoire et je l'avais aussitôt couché sur le papier.

Le troisième coup, comme on dit au théâtre, fut frappé pour moi à la séance du Politburo où l'on examina le rapport de Gorbatchev consacré au soixante-dixième anniversaire d'Octobre. Le texte en avait été remis à l'avance aux membres, titulaires ou suppléants du Politburo et aux secrétaires du Comité central. Nous avions eu trois jours pour l'étudier attentivement.

On fit un tour de table assez rapide. Chacun, ou presque, estimait qu'il lui fallait dire quelques mots. Les appréciations étaient positives dans l'ensemble, avec quelques remarques mineures. Puis, je pris la parole et énonçai une vingtaine de critiques extrêmement sérieuses. Elles concernaient le parti, l'appareil, la sanction de notre passé, notre conception du développement futur du pays, et bien d'autres choses encore.

Et soudain, Gorbatchev explosa. Il interrompit la séance et quitta la salle, comme un fou. Le Politburo et les secrétaires restèrent sans mot dire à leur place, ne sachant ce qu'ils devaient faire, comment réagir. Cela dura une demi-heure environ. Alors, Gorbatchev revint et il me tomba littéralement dessus, sans tenir compte un instant des points que j'avais mentionnés. Manifestement, il déversait les rancœurs accumulées à mon égard, ces derniers mois. Son ton était extrêmement dur, il frisait l'hystérie. J'hésitai à quitter la salle, pour ne plus entendre ces semonces, à la limite de l'insulte.

Il déclara qu'à Moscou tout allait mal, qu'il en avait assez que les gens se regroupent autour de moi, que mon caractère était impossible, que je n'arrêtais pas de critiquer, que je me permettais de faire au Politburo d'invraisemblables remarques, qu'il avait longuement travaillé son rapport, que je ne l'ignorais pas et m'autorisais nonobstant à porter un jugement incroyablement outrecuidant. Je n'ai pas calculé exactement – j'avais autre chose en tête –, mais il parla au bas mot quarante minutes.

Il était clair qu'il ne me supportait plus. Pour moi, honnêtement, c'était une surprise. Je m'attendais, bien sûr, qu'il réagisse à mes propos, mais pas avec ce ton de poissonnière, sans admettre un instant le bien-fondé de mes remarques. Ce qui ne l'empêcha pas, par la suite, d'en tenir compte pour modifier nombre de points dans son rapport. Pas tout, naturellement, il s'en faut!

Les autres ne pipaient mot, ils regardaient ailleurs, essayaient de se faire oublier. Personne ne me défendit, personne non plus ne m'enfonça. L'atmosphère était très lourde. Quand Gorbatchev en eut terminé, je me levai et déclarai que je ne manquerais pas de vérifier si mes critiques étaient bien conformes à la réalité, du moins pour certaines d'entre elles, mais que je rejetais la plupart des reproches qui venaient de m'être faits. Je les rejetais, un point c'est tout! Parce qu'ils étaient tendancieux et formulés d'une façon inacceptable.

La discussion s'acheva là-dessus. On se dispersa, l'ambiance était assez sinistre. Abattu, je l'étais moi aussi, sans doute plus que les autres. Pour moi, c'était le début de la fin. Dès lors, je devins comme transparent aux yeux de Gorbatchev, il ne me voyait plus, alors que nous nous rencontrions au moins deux fois par semaine : le jeudi au Politburo et à tel ou tel conseil, telle ou telle manifestation. Il s'arrangeait pour ne pas me serrer la main, me saluait sans mot dire. Nous n'avions plus la moindre discussion.

Je sentais qu'il était déjà résolu à se délivrer du boulet que je représentais. J'étais, manifestement, un corps étranger dans son équipe docile.

CHAPITRE VII

10 mars 1989

CHRONIQUE DES ÉLECTIONS

Je ne m'y habituerai jamais! Chaque fois que s'abattent sur moi de nouvelles calomnies, une nouvelle provocation, j'en suis extrêmement affecté, je me rends malade, alors que je devrais depuis longtemps être parfaitement tranquille et indifférent. Je ne peux pas!

Plusieurs personnes m'ont récemment appris, par téléphone, qu'une brochure anonyme d'une dizaine de pages était distribuée aux comités de district du parti : comment discréditer Eltsine. Peu après, on m'en apportait un exemplaire. Je me forçai à lire intégralement le texte et en sortis très déprimé. Non par peur que les électeurs ne se détournent de moi : jamais un homme normal, honnête, n'accorderait une quelconque valeur à ces propos que leurs auteurs n'avaient pas même le courage de signer. J'étais simplement effaré par la nullité de ce que j'avais sous les yeux : notre appareil idéologique était tombé bien bas, s'il employait des moyens aussi vils, aussi honteux.

Je ne parvins pas à savoir qui avait rédigé ce torchon, mais il était clair que cela venait de très haut, puisqu'il s'agissait d'un manuel d'action immédiate. Les secrétaires des comités de district convoquaient les militants du parti dans les entreprises, les organisations, et leur donnaient lecture de ce ramassis de mensonges. Je ne peux résister à la tentation d'en citer les passages les plus mémorables :

« Aussi paradoxal que cela paraisse, Eltsine, qui prône des méthodes dures, autoritaires, dans le travail avec les cadres, trouve acceptable d'être membre du conseil de la société " Mémorial[1] ". L'éventail de ses sympathies politiques n'est-il pas un peu large? D'un côté, " Mémorial ", où il fait équipe avec Soljénitsyne, de l'autre " Pamiat ", dont il a volontiers rencontré les adhérents en 1987. N'avons-nous pas là l'exemple même de cette souplesse qui, dans les faits, confine à l'absence de principes? »

« Il lutte activement pour devenir député du peuple; en fait, il joue son va-tout. »

« Par quoi est-il mû? Les intérêts du peuple? Mais il pourrait aussi bien les défendre concrètement, de son actuelle place de ministre! Il semble qu'il soit plutôt poussé par un amour-propre piqué au vif, des ambitions qu'il n'arrive pas à satisfaire, le goût du pouvoir. Pourquoi les électeurs devraient-ils être des pions entre ses mains? »

« On a le sentiment très net qu'il cherche, dans la députation, une voie commode, une " couverture " pratique. »

« Ce n'est pas un leader, plutôt une sorte de limittchik *politique. »*

Après qu'on leur avait donné lecture de ce document, les militants du parti étaient censés rejoindre leurs collectifs et ouvrir les yeux aux ouvriers sur l'individu déplaisant, répugnant même, qu'était Eltsine.

La ruse fit long feu. Non que le travail idéologique n'eût pas été effectué : les militants allèrent bien trouver les masses. Mais il faut voir comment ils furent reçus! Beaucoup, d'ailleurs, prudents, préférèrent renoncer. Les

1. Association militant pour la réhabilitation des victimes du stalinisme. Soutenue par une douzaine de députés du peuple (dont Eltsine, Iouri Afanassiev et, récemment encore, Sakharov), elle n'est toujours pas officiellement reconnue.

réactions furent diverses. Certains s'indignèrent de ces propos, exigèrent que cesse cette provocation contre un candidat à la députation... Quoi qu'il en soit, l'effet produit par cette « trouvaille » de l'appareil fut rigoureusement nul. Merci au journal Les Nouvelles de Moscou, *qui a dénoncé cette manœuvre.*

Je m'amusai un jour à compter les machinations diverses organisées contre moi dans le seul but de m'empêcher d'être élu. J'avoue que j'en fus moi-même surpris : il y en avait presque plus que de députés au Soviet suprême ! Et c'étaient des rencontres avec les travailleurs qui ne pouvaient avoir lieu faute de salle, c'étaient des déclarations anonymes, des mensonges, des falsifications, largement diffusés !... J'ai été servi, au-delà de toute mesure.

L'affaire prit une triste tournure, quand le Comité central s'en mêla. Cela se produisit au plénum où, soit dit en passant, le parti communiste avait eu le front de voter pour présenter ses candidats, en tant qu'« organisation sociale ». C'est là également qu'on adopta la résolution me concernant. Le lendemain, les journaux annonçaient qu'une commission allait être créée, dirigée par V.A. Medvedev, membre du Politburo, afin de contrôler mes déclarations lors des rencontres et meetings avec les électeurs.

Cela commença par un discours de l'ouvrier Tikhomirov. Membre du Comité central, Tikhomirov était le représentant type de la pseudo-« avant-garde ouvrière », un de ces exécutants dociles, choyés et entretenus par le système. Récemment encore, ils étaient nombreux, ces soi-disant « porte-parole de la classe ouvrière » qui, en son nom, approuvaient et soutenaient les décisions les plus aventureuses du parti et du gouvernement : depuis l'entrée des chars en Tchécoslovaquie jusqu'à l'invasion de l'Afghanistan, chaudement applaudie, en passant par l'expulsion de Soljénitsyne et les persécutions dirigées contre Sakharov. Dans ces occasions-là, on avait toujours sous la main un Tikhomirov pour dire son mot. L'écrivain Daniil Granine devait parler, à juste titre, du « Tikhomirov de la nomenklatura ».

Il prit la parole au plénum et déclara que « nous » ne pouvions plus tolérer dans les rangs du Comité central la présence d'un individu comme Eltsine. Eltsine calomniait le parti lors des meetings et des rencontres avec les électeurs, il se permettait des remarques à l'adresse du Politburo; bureaucrate lui-même, il critiquait vertement la bureaucratie, alors que, ajoutait Tikhomirov, « j'ai voulu aller discuter avec lui dans son bureau et il m'a fait attendre, moi un membre du Comité central, quarante minutes dans son antichambre... »

Un mensonge de plus. Il était effectivement venu me trouver et avait dû attendre, parce qu'il ne m'avait pas prévenu et que j'étais en conseil avec les principaux spécialiste du Gosstroï[1]*. Dès que la secrétaire m'eut informé de sa présence, je priai les camarades de m'accorder une pause : je connaissais le caractère de Tikhomirov. Je m'entretins avec lui. Le prétexte de sa visite était insignifiant. Je me rappelle avoir eu des doutes, dès cet instant : pourquoi diable était-il ici?... Je compris lorsqu'il fit cette sortie au plénum.*

Je parlai immédiatement après lui, déclarai que c'étaient des calomnies. Gorbatchev aurait pu mener l'affaire plus finement, ne pas prêter attention à cette provocation. Mais il était déjà très remonté contre moi, ou, plus vraisemblablement, tout avait été combiné à l'avance. Il proposa de créer la fameuse commission.

La nouvelle mit les gens au comble de la fureur. Je reçus, en quelques jours, des lettres, des télégrammes des quatre coins du pays, protestant contre cette décision qui, au bout du compte, me valut quelques pourcentages de voix supplémentaires.

1. Abréviation pour construction d'État.

« Les dirigeants du parti savent-ils que le pays manque du minimum, qu'il n'y a rien à manger, rien pour s'habiller, se laver? Ou peut-être vivent-ils selon d'autres lois? »

« Avec la glasnost, on nous a tout dit, semble-t-il. Même des secrets politiques portant sur une période " pas si éloignée ". Mais pourquoi fait-on le silence sur la vie de nos dirigeants actuels? »

« Pourquoi le peuple ne sait-il rien de ses leaders, de leurs revenus, de leur niveau de vie? Serait-ce un secret? »

« Racontez-nous quels sentiments vous éprouviez au " paradis de la nomenklatura ". Est-il exact que le communisme y est depuis longtemps solidement implanté? »

(Extrait des questions posées par les Moscovites au cours de la campagne).

L'élection de Gorbatchev au poste de secrétaire général en mars 1985, par le plénum du Comité central, suscita de nombreuses légendes. L'une d'elles voulait qu'en proposant Gorbatchev, quatre membres du Politburo aient réglé le sort du pays. Ligatchev le dit d'ailleurs très nettement à la XIXe conférence du parti. Il y avait eu une lutte, bien sûr. N'avait-on pas retrouvé chez Grichine une liste des membres du Politburo qu'il envisageait de nommer quand il deviendrait chef du parti? Ni Gorbatchev ni bien d'autres n'y figuraient.

Le sort du Secrétaire général fut pourtant, cette fois, décidé par le plénum. Presque tous ses participants, y compris des premiers secrétaires expérimentés, dont la nomination ne datait pas d'hier, jugèrent que la variante Grichine était exclue : elle eût entraîné la chute immédiate du parti, la mort du pays. En un temps record, l'organisation du parti, à l'échelle de l'Union, aurait été exsangue, comme c'était le cas pour celle de Moscou. C'était inacceptable. Sans parler de la personnalité de Grichine : un individu content de lui, plein d'assurance; il se sentait infaillible et avait une soif inextinguible de pouvoir.

Une grande partie des premiers secrétaires s'accorda sur le fait que, parmi les membres du Politburo, il fallait nommer Gorbatchev au poste de Secrétaire général. C'était l'homme le plus énergique, le plus érudit, et son âge convenait parfaitement. On décida de miser sur lui. Des démarches furent entreprises pour informer certains membres du Politburo, dont Ligatchev. Sa position concordait avec la nôtre : il craignait Grichine autant que nous. Assurés que tel était l'avis de la majorité, nous étions résolus à nous opposer unanimement à toute autre candidature, celle de Grichine, de Romanov [1] ou de qui que ce soit. Et nous obtiendrions gain de cause.

La discussion au Politburo se déroula manifestement dans les mêmes termes; on connaissait notre fermeté, et Gromyko soutint notre cause. C'est lui qui, au plénum, proposa la candidature de Gorbatchev. Grichine et ses hommes n'osèrent pas réagir; ils savaient que leurs chances étaient minces, voire nulles. Aussi Gorbatchev passa-t-il sans encombre. Nous étions en mars.

Le 23 avril 1985, se tint le fameux plénum d'avril du

1. Alors premier secrétaire du parti pour la région de Leningrad.

Comité central, où Gorbatchev proclama les grands principes de la ligne qu'il entendait suivre : celle de la perestroïka.

Lorsque Gorbatchev accéda au pouvoir, rares sans doute dans le pays étaient ceux qui comprenaient quel fardeau écrasant l'attendait. Lui-même n'imaginait vraisemblablement pas les ruines dont il héritait.

Ce qu'il a accompli restera sans nul doute dans l'histoire de l'humanité. Je n'aime pas les superlatifs, mais ils conviennent parfaitement pour qualifier l'entreprise gorbatchévienne. Car il aurait pu continuer sur la lancée de Brejnev et Tchernenko. Le pays aurait eu assez de ressources et le peuple assez de patience pour lui permettre de mener la vie heureuse et cossue d'un chef d'État totalitaire. Il se serait attribué des décorations, le peuple lui aurait dédié des poèmes, des chansons, ce qui fait toujours plaisir. Il a choisi une autre voie, a entrepris de gravir une montagne dont on ne voit pas le sommet, et nul ne sait comment cela se terminera : serons-nous balayés par l'avalanche, ou vaincrons-nous l'Everest?..

Je me suis souvent demandé pourquoi il s'était finalement résolu à amorcer ces changements. Parce qu'il est relativement jeune et que le mensonge, l'hypocrisie qui rongeaient de haut en bas notre société, l'insupportaient? Parce qu'il avait le sentiment que le pays avait une chance de faire un grand bond en avant et d'aborder la civilisation?.. Je n'arrive pas à trouver la réponse. Je veux croire qu'il nous confiera un jour sa quête et ses tourments d'avril 1985.

Le plus terrible est qu'à l'instant où il se décida à faire les premiers pas, il se retrouva pratiquement seul, entouré des grands responsables et metteurs en scène de la stagnation, qui veillaient à ce qu'on ne touchât pas aux anciens usages. Les choses devinrent plus faciles ensuite, Gorbatchev finit même par prendre du retard sur les événements; quoi qu'il en soit, au moment décisif, il œuvra magnifiquement. Il s'attacha à ne pas effrayer la mafia de l'appareil et du parti qui, longtemps, demeura puissante, capable, au besoin, de dévorer tout cru n'importe quel secrétaire général. Il n'avait pas son pareil pour mettre à la retraite en douceur, avec les ménagements voulus, les membres de l'équipe Brejnev-Tchernenko. Bientôt, il fut entouré d'hommes de son choix et put travailler tranquillement.

Un succès plus grand encore l'attendait à l'étranger. Il est vrai que la conjoncture était favorable : après Brejnev, quel leader soviétique n'eût pas été accueilli en héros, pour peu qu'il fût capable d'assembler correctement une phrase?

Cela étant, en toute objectivité, Gorbatchev est populaire hors de nos frontières.

En voyant quel accueil on lui réserve en Occident, je le plains parfois sincèrement. Car il lui faut ensuite rentrer chez nous, retrouver un pays que déchirent les problèmes et les contradictions. Ici, point de foules en délire l'appelant affectueusement « Micha ». Ici, on ne lui fait pas de cadeau.

Mais revenons au mois d'avril 1985.

Les gens crurent en Gorbatchev : c'était un politique, un réaliste; on adopta sa politique internationale de « nouvelle pensée ». Chacun comprenait que cela ne pouvait plus continuer, qu'on ne pouvait plus vivre, travailler ainsi qu'on l'avait fait de nombreuses années durant. C'eût été suicidaire pour le pays. La démarche était la bonne, bien qu'il s'agît, naturellement, d'une révolution par le haut. Or, les révolutions de ce type se retournent inévitablement contre l'appareil, si celui-ci n'est pas en mesure de contenir l'initiative populaire dans des limites tolérables pour lui. L'appareil commença à opposer une résistance à la perestroïka, à la freiner, la combattre, et elle piétina. Il faut ajouter qu'elle avait été mal conçue. Elle n'était, pour une large part, qu'un ensemble d'appels et de mots d'ordre nouveaux, qui sonnaient bien. Pas si nouveaux que cela, d'ailleurs. On les trouve déjà chez Kant. Perestroïka [1], glasnost [2], accélération – autant de termes courants depuis des siècles.

En lisant le livre de Gorbatchev *Perestroïka et Nouvelle Pensée* [3] je pensais trouver des réponses, apprendre comment il envisageait l'évolution du pays, mais je n'y ai pas vu de théorie cohérente. Il ne dit pas clairement de quelle façon il imagine la reconstruction de notre maison, selon quels plans, avec quels matériaux. Le drame de Gorbatchev est qu'il n'a jamais eu et n'a toujours pas aujourd'hui de visées stratégiquement et théoriquement élaborées. Il n'a que des slogans. Plus de quatre ans se sont écoulés depuis la proclamation de la perestroïka, et, curieusement, on continue de considérer ce laps de temps comme un « début », une « première étape », des « premiers pas »...

Quatre ans, ce n'est pas si court. Aux États-Unis, c'est un mandat présidentiel. En quatre ans, un président américain doit tenir ses promesses, réaliser tout ce qui est en son pouvoir. Si le pays ne progresse pas, il n'est pas réélu. Du temps de Reagan, les États-Unis ont connu des changements positifs dans de nombreux domaines. C'est pourquoi il a obtenu un second mandat. Il était sans doute moins primaire qu'on nous l'avait laissé entendre. Bien sûr, il reste des points noirs. Même en huit ans, on ne peut pas tout régler. Mais les résultats sont là, il a beaucoup fait, en particulier pour stabiliser l'économie.

Chez nous, la situation s'est tellement dégradée au cours de ces mêmes années, que nous en sommes à avoir peur du lendemain. Économiquement, c'est la catastrophe. Là, le grand défaut de Gorbatchev – son incapacité à prendre les mesures décisives qui s'imposent – s'est révélé dans toute sa splendeur.

Mais j'anticipe. Revenons un peu en arrière. Devenu

1. Reconstruction.
2. Le fait de rendre public.
3. Titre original de l'ouvrage.

secrétaire du Comité central, puis membre suppléant du Politburo, je plongeai dans un rythme de vie totalement différent. J'assistais à toutes les séances du Politburo et, parfois, du secrétariat du Comité central. Le Politburo se réunissait le jeudi à onze heures, il pouvait se terminer à quatre, cinq, sept ou huit heures du soir.

De ce point de vue, les assemblées ne se déroulaient pas comme au temps de Brejnev, où l'on se contentait de préparer les projets de résolution et où tout était décidé en quinze ou vingt minutes. On demandait : « Pas d'objections? » Il n'y avait pas d'objections. Et on levait la séance. Brejnev n'avait alors qu'une passion : la chasse. Il s'y adonnait entièrement.

Avec Gorbatchev, les réunions commençaient d'ordinaire ainsi. Les membres du Politburo se réunissaient dans une pièce. Les membres suppléants, qui formaient une seconde catégorie, et les Secrétaires du Comité central, une troisième, se mettaient en rangs et attendaient dans la salle des séances l'apparition du Secrétaire général. Le plus souvent, Gorbatchev était suivi de Gromyko, puis venaient Ligatchev, Ryjkov [1]; ensuite, on respectait l'ordre alphabétique. Pareils à des joueurs de hockey, ils passaient devant chaque rangée, on se serrait la main, ils lâchaient parfois une phrase ou deux, mais en général la scène se déroulait en silence. Ils s'asseyaient ensuite de part et d'autre de la grande table – chacun avait une place fixe – et Gorbatchev s'installait tout au bout, dans le fauteuil du président.

Le plus drôle était que cette hiérarchie entre les catégories était maintenue pour la pause du déjeuner. Je songeais aux repas de Sverdlovsk, dont j'avais fait des réunions informelles où s'échangeaient des opinions sur les questions les plus diverses. En trente, quarante minutes de pause, les secrétaires du comité régional, les membres du

1. Actuel Premier ministre.

bureau (on invitait aussi parfois les responsables de secteur) parvenaient à résoudre une série de problèmes.

Ici, au sommet, sur l'Olympe du parti, le système des castes était scrupuleusement respecté.

On ouvrait la séance. Gorbatchev ne cherchait pratiquement pas à savoir si quelqu'un avait une remarque concernant l'ordre du jour. Pour commencer, il lui arrivait d'évoquer des impressions personnelles, de raconter qu'à tel endroit il avait vu telle chose, y compris à Moscou. Durant la première année de ma présence au secrétariat du comité de ville, cela se produisit rarement; mais dès l'année suivante, il attaquait, de plus en plus fréquemment, par : « A Moscou ceci ne va pas, ou bien cela », histoire de me conditionner d'emblée.

On débattait ensuite d'un problème – les cadres, la nomination des ministres avec lesquels Gorbatchev venait de s'entretenir. A d'autres moments, cela se passait sans discussion : on conviait aussitôt le futur ministre au Politburo. Au cours de la séance, le postulant montait à la tribune, on lui posait quelques questions, plutôt pour entendre sa voix que pour connaître ses positions, ses idées. En général, la nomination était entérinée en cinq, sept minutes.

Toute discussion commençait par une étude préalable des dossiers figurant à l'ordre du jour. On nous les remettait un peu tard à mon goût. S'ils nous parvenaient parfois une semaine à l'avance, le plus souvent nous n'avions qu'un jour ou deux devant nous, ce qui était insuffisant pour travailler en détail une question essentielle de la vie du pays. Il aurait fallu prendre conseil auprès des spécialistes, bavarder avec ceux qui maîtrisaient les données du problème. C'était impossible. Était-ce une volonté déterminée, ou un simple manque d'organisation? Les questions du secrétariat du Comité central se posaient souvent de façon précipitée, et on en discutait sans l'impartialité ni la compétence nécessaires. On avait le sentiment d'une grande confusion, ce que Ligatchev adorait, surtout quand il menait les réunions du secrétariat. D'un strict point de vue juridique, il n'était pas le numéro deux du parti. Mais on avait coutume de considérer ainsi celui qui dirigeait les séances du secrétariat.

Ces réunions se tenaient tous les mardis. La différence entre le secrétariat et le Politburo, les deux organes de direction du parti, était assez factice. En gros, le premier avait surtout à traiter des dossiers mineurs. Dès qu'une question importante se posait, le secrétariat et le Politburo organisaient une séance commune. En dépit d'une apparence de démocratie, les débats restaient des débats de l'appareil. L'appareil préparait les projets, que l'on adoptait sans se soucier de savoir s'ils étaient adaptés à la réalité, à la vie du pays. Pour certains problèmes, on conviait à la discussion une série de responsables, essentiellement ceux qui avaient participé à l'élaboration du projet soumis. Encore une fois, c'était l'appareil. La boucle était bouclée. Ce cercle vicieux, je le connaissais d'autant mieux que, ayant passé près de six mois à la tête d'une section du Comité central, j'avais pu mesurer la situation de l'intérieur.

D'ordinaire, Gorbatchev prononçait le discours introductif. Il aimait parler longuement, citait parfois, pour appuyer ses propos, une lettre, puis une autre, qu'on lui avait préparées. Ce prélude déterminait en général l'issue de la discussion, la résolution proposée par l'appareil qui, au bout du compte, dirigeait tout. Les membres du Politburo, dans bien des cas, ne participaient aux débats que pour la forme. Ces derniers temps, Ryjkov a essayé de rompre avec cette pratique, en examinant préalablement les questions au Conseil des ministres ou en réunion de spécialistes.

Après le discours du Secrétaire général, les membres du conseil prenaient la parole les uns après les autres, en partant de la gauche, et, pendant deux à cinq minutes, donnaient leur point de vue, certains sérieusement, d'autres – les plus nombreux – pour faire acte de présence : « Oui, oui, c'est bien, cela influera, augmentera, élargira, approfondira, perestroïka, démocratisation, accélération, glasnost, alternative, pluralisme... » On commençait à s'habituer aux nouveaux termes en vigueur, on les répétait volontiers.

Les premiers temps, le vide de nos réunions n'était pas aussi manifeste. Mais peu à peu, il apparut qu'elles étaient absurdes. Gorbatchev s'admirait de plus en plus, il s'enivrait de ses discours. Il aime parler et sait le faire. Il devint manifeste que le pouvoir le subjuguait; il perdait le sens des réalités, vivait dans l'illusion que la perestroïka progressait en profondeur et à tous les niveaux, qu'elle emporterait bientôt le pays et les masses. La réalité était bien différente.

Je n'ai pas souvenir que quelqu'un ait osé une fois se prononcer nettement contre lui. Je mettais cependant mon grain de sel. Au début, je me contentais, le plus souvent, d'écouter. Quand j'eus la possibilité de prendre connaissance des projets présentés au Politburo, je commençai à donner de la voix, pas trop fort d'abord, puis de plus en plus énergiquement. Ensuite, voyant que le problème était réglé de façon erronée, je protestais, et avec insistance encore! Mes querelles les plus violentes m'opposaient, en général, à Ligatchev et Solomentsev. Gorbatchev gardait une position neutre; pourtant, si les critiques visaient son travail, il ne laissait rien passer. Il devait obligatoirement répliquer.

Je voudrais dire deux mots de mes collègues du Politburo.

Peut-être dois-je parler d'abord de A.A. Gromyko, membre du Politburo et alors président du Soviet suprême d'U.R.S.S. Gromyko avait un rôle étrange. Apparemment, il existait, avait des activités, rencontrait des gens, prononçait des discours; d'un autre côté, on eût dit que nul n'avait besoin de lui. En tant que président du Praesidium du Soviet suprême, il devait, selon le protocole, accueillir les responsables étrangers. Mais, les entretiens étant menés par Gorbatchev – en sa présence, dans le meilleur des cas –, il se retrouva peu à peu exclu de la vie politique réelle ; son existence devint, sans qu'il en eût peut-être conscience, purement formelle. Homme du passé, il s'était retrouvé projeté dans le présent. Il ne comprenait pas vraiment de quoi il retournait. Il intervenait presque systématiquement au Politburo. Sur n'importe quelle question. Ses discours étaient toujours très longs et si l'on débattait de problèmes internationaux, il se croyait obligé de s'étendre abondamment sur la situation au temps jadis, l'époque où il était en Amérique, puis ministre des Affaires étrangères, ses rencontres avec untel et untel, et qu'à l'O.N.U... Cela n'en finissait pas. Il pouvait ressasser pendant une demi-heure ses souvenirs de vieillard. Il n'y avait pas de mal à cela, c'était simplement déplacé et absurde. On voyait que Gorbatchev avait de la peine à se maîtriser.

Cet homme, autrefois actif, passa les dernières années de sa vie dans un isolement dont il était lui-même responsable. Ses déclarations intempestives au Politburo, du style : « Figurez-vous, camarades, que dans telle ville, il y a pénurie de viande », suscitaient toujours dans la salle une grande animation. Qu'il n'y eût plus de viande depuis belle lurette, nul, dans l'assistance, ne l'ignorait. Il avait un emploi du temps assez souple. Il arrivait vers dix, onze heures au bureau, en repartait à six. Il prenait tous ses samedis. Bref, il ne faisait pas de zèle, ce que personne, d'ailleurs, ne lui demandait. L'essentiel était qu'il joue correctement son rôle et ne dérange pas trop.

Il me voyait d'un assez bon œil. Je dirai même plus : après mon intervention au plénum d'octobre 1987, alors que j'étais encore membre du Politburo, il fut peut-être le seul à ne pas changer d'attitude à mon égard : il continua à me saluer, à me demander de mes nouvelles.

En dépit de sa haute fonction, le président du Conseil des ministres, N.I. Ryjkov, restait dans l'ombre. Il fallut les événements tragiques d'Arménie où il dut, presque de ses propres mains, dégripper le mécanisme rouillé des secours d'urgence et passer d'innombrables nuits blanches, pour que les Soviétiques s'aperçoivent qu'ils avaient un Premier ministre. Il n'empêche que ce poste le dépasse un peu. Surtout actuellement, où il importe de sortir le pays du chaos économique.

Il m'est arrivé, en tant que premier adjoint du président du Gostroï, d'assister aux réunions du Conseil des ministres. Dès la seconde fois, je compris qu'un individu normalement constitué et doté d'un minimum de bon sens, supporterait difficilement la désorganisation, la pagaïe qui y régnaient. Tel ministre se plaignait de tel autre, tel autre d'un troisième, ils montaient à la tribune sans savoir ce qu'ils allaient dire, se disputaient le micro comme des chiffonniers. Prendre une décision collective dans ces conditions, relevait de l'exploit. Je décrétai bientôt que je n'avais pas de temps à perdre et ne m'y montrai plus. J'ose espérer que cela a changé. Car les ministres sont à présent passés par le rude purgatoire du Soviet suprême, et la situation est telle dans le pays que l'heure n'est plus aux discours creux.

Depuis quelques mois, M.S. Solomentsev, membre du Politburo, président de la Commission de contrôle * du parti, semblait avoir perdu sa belle assurance. On eût dit qu'il attendait quelque chose. Il intervenait peu. Cependant, si l'on abordait le problème de la lutte contre l'alcoolisme, il soutenait aussitôt Ligatchev. Ces deux-là s'étaient bien trouvés. Et quand Solomentsev fut démis de ses fonctions, Ligatchev en fut tout chagrin. Car personne d'autre ne voulait soutenir cette résolution proprement délirante. J'eus personnellement à faire à Solomentsev, lorsqu'en tant que président du comité de contrôle, il fut chargé de me demander de justifier mes déclarations à la presse occidentale. Il va de soi que l'entretien ne prit pas exactement le tour que souhaitait Solomentsev. Je ne battis pas ma coulpe, considérant que j'avais parfaitement raison et que mes critiques à l'égard des membres du Politburo, ou de la tactique de la perestroïka n'étaient en rien contraires à la Constitution ou aux statuts du P.C.U.S. Pendant toute la conversation, Solomentsev se montra nerveux, mal assuré. Parfois, il me faisait pitié : on lui avait confié une tâche et il était incapable de la mener à bien. Un triste tableau.

D'abord président du K.G.B., Tchebrikov ne prenait guère la parole, sauf s'il était question du brouillage des radios occidentales ou du nombre de personnes qui pouvaient être autorisées à se rendre à l'étranger. Il abandonna rapidement son poste, devint secrétaire du Comité central. Là, Gorbatchev avait bien joué son coup. Le comité [1] serait désormais dirigé par le dévoué et docile Krioutchkov. Pourtant, les organes de sécurité, le K.G.B., restèrent enre les mains de leur ancien président. Tchebrikov, surtout, était un guébiste [2] dans l'âme. Il avait cette psychologie qui fait voir partout des espions, ne laisse passer rien ni personne, met tout le monde sur le même plan. Notre pluralisme d'aujourd'hui, notre glasnost, lui sont un poignard dans le cœur, un coup porté à un système qui, de nombreuses années durant, a fonctionné avec une docilité parfaite.

Grichine avait inscrit Dolguikh, pour son malheur, sur la liste de ses plus proches partisans. Il projetait de le nommer membre du Politburo et président du Conseil des ministres. Le sort de Dolguikh était scellé, comme celui de toute l'équipe Grichine. Beaucoup ne tardèrent pas, en effet, à quitter leurs fauteuils. Dolguikh resta encore un peu. Il était peut-être le plus professionnel et le plus effi-

1. Le comité à la Sécurité d'État – le K.G.B.
2. Nom fréquemment employé pour désigner les hommes du K.G.B.

cace des secrétaires du Comité central. Il demeura membre suppléant du Politburo jusqu'à son départ en retraite. Relativement jeune – il n'avait pas cinquante ans – il était devenu secrétaire du Comité central. Il arrivait de Krasnoïarsk. Il se distinguait par son esprit systématique, sa pondération – jamais il ne proposait de mesures précipitées – son indépendance, aussi, dans certaines limites.

Ainsi, lorsque le Politburo débattit de ma candidature au poste de secrétaire du Comité central – je n'y assistai pas, naturellement –, je fus unanimement soutenu, chacun sachant que j'étais proposé par Gorbatchev. Seul Dolguikh fit remarquer qu'Eltsine avait parfois des réactions trop émotionnelles, ou quelque chose de ce genre... Je fus nommé secrétaire du Comité. Et on ne tarda pas à me rapporter ses propos. J'allai aussitôt le trouver, non pour lui demander des explications, mais pour entendre son opinion de sa bouche. Il importait que je prenne conscience de mes erreurs : je commençais seulement à travailler au Comité. Il me répéta tranquillement ce qu'il avait dit au Politburo : il n'avait rien contre ma nomination, mais je devais être capable de maîtriser mes émotions, de contenir ma nature. Aussi étrange que cela paraisse, cet épisode, pas très agréable pour moi, loin de nous mettre en froid, nous rapprocha. Un contact humain, des rapports de confiance s'établirent entre nous, autant de choses qui font cruellement défaut au sein du Comité central.

Aux séances du Politburo, nous étions côte à côte et discutions souvent très franchement des problèmes que connaissait le pays; nous déplorions qu'ils soient réglés à la va-vite, au coup par coup. Dans ses discours, il n'aimait pas critiquer; il préférait avancer des propositions, personnelles, précises, réfléchies. Il me semble qu'il rendait de grands services au Politburo. Il ne tarda pas à être obligé de partir.

A.I. Loukianov fut, longtemps, la figure la plus en vue à

l'échelon le plus élevé du parti. Il occupait le poste de premier adjoint du président du Soviet suprême. Son rôle se trouva accru avec le nouvel état de choses créé par les élections, le Congrès des députés du peuple, la session du Soviet suprême. Et c'est là qu'apparurent en pleine lumière toutes ses qualités d'apparatchik haut placé : la rigidité, l'absence de liberté intérieure, le manque de largeur d'esprit. Loukianov est incapable de se dépêtrer d'une situation sortant de l'ordinaire, ce qui se produit pourtant fréquemment au Soviet suprême. Il s'affole aussitôt, entre en fureur, tape du poing sur la table. Étant donnée l'actuelle composition du Soviet suprême, il peut encore se maintenir. Mais dans le cas d'élections libres normales – et je suis persuadé qu'il y en aura un jour – il aura de la peine à supporter le choc.

D.T. Iazov est ministre de la Défense. C'est un véritable va-t-en-guerre, sincère, zélé. Il serait parfait à la tête d'une région militaire ou d'un état-major. Mais il n'a rien d'un ministre. Il est limité, ne supporte pas la critique et, sans la pression acharnée de Gorbatchev sur les députés, n'aurait jamais été confirmé dans ses fonctions. Je ne vois pas comment on pourrait espérer que ce pur produit de l'ancienne machine militaire envisage des changements positifs dans l'armée, fasse preuve de souplesse dans les questions concernant le potentiel de défense du pays. C'est un général, et un général de chez nous, qui contemple d'un œil chagrin la population civile et ne rêve, au fond, que d'enrôler tous les hommes en âge de se battre dans d'incessantes périodes d'exercices. Je caricature, bien sûr. Mais j'avoue trouver sympathique la règle américaine qui veut que le ministre de la Défense soit obligatoirement un civil. C'est une excellente précaution. Car les militaires sont toujours un peu déformés par leur métier, ils voient des menaces partout et nourrissent secrètement l'envie de guerroyer.

La présence au Politburo de Chtcherbitski, premier

secrétaire du Comité central d'Ukraine, témoigne de l'indécision de Gorbatchev et du caractère hybride de son action. Je suis prêt à parier qu'au moment où paraîtra ce livre, Chtcherbitski aura été ignominieusement chassé [1]. Au moment où j'écris, cet homme, complètement discrédité, est pourtant encore à son poste. Gorbatchev craint de le toucher, de la même façon qu'il ne pouvait se résoudre à régler l'affaire Aliev, alors que chacun comprenait qu'il était intolérable de garder plus longtemps au Politburo un individu ayant trempé dans d'innombrables combines. J'étais allé, à l'époque, trouver Gorbatchev avec un énorme dossier, et j'avais passé près d'une heure à essayer de le convaincre : « Mikhaïl Sergueïevitch, il est insupportable de siéger en sa compagnie. On ne peut ainsi déconsidérer le Politburo. » Il avait refusé de m'écouter. Finalement, Aliev avait été mis à la retraite, une belle retraite, avec tous les honneurs. Mais pourquoi fallait-il tarder à résoudre ce problème criant, dont l'issue était évidente? On retrouvait la même situation avec Chtcherbitski : Gorbatchev ne voulait pas se mettre à dos ce modèle parfait de l'époque de la stagnation.

Secrétaire du Comité central, membre du Politburo, A.N. Iakovliev est le plus intelligent de nos hommes politiques, celui qui a le plus de bon sens et qui voit le plus loin. J'éprouvais un immense plaisir à entendre ses remarques, d'une grande finesse, j'appréciais sa façon de les formuler, lorsqu'une question était débattue au Politburo. Il était prudent, naturellement : il n'attaquait pas bille en tête Ligatchev, comme je le faisais, moi. Mais ils étaient de toute évidence aux antipodes l'un de l'autre. Le socialisme version Iakovliev était diamétralement opposé au « socialisme de caserne et de kolkhoze » tendance

1. C'est exactement ce qui s'est passé. Alors que ce livre était achevé, le plénum de septembre décidait la mise à la retraite de Chtcherbitski. Je me trompais cependant, en croyant qu'il partirait honteusement. On l'a au contraire couvert d'honneurs, en reconnaissance de son magnifique travail *(N.d.A.)*.

Ligatchev. Ils étaient pourtant obligés de se supporter. Et chacun, à la suite de Gorbatchev, prononçait du bout des lèvres une misérable phrase sur la nécessité de l'unité du Politburo.

Après que Gorbatchev eut séparé les deux grands adversaires en matière d'idéologie, Ligatchev et Iakovliev, confiant à l'un l'agriculture, à l'autre les affaires internationales, V.A. Medvedev, secrétaire du Comité central et membre du Politburo, devint l'idéologue en chef du pays. Il est clair qu'il a bien du mal à remplir ses fonctions. Disons-le tout net : il ne s'en sort pas. Ses principales qualités – pour lesquelles Gorbatchev l'a mis à ce poste – sont l'obéissance et l'absence totale de pensées et d'idées nouvelles. Or, je le répète, en ces temps de confusion, ce n'est pas avec ce genre de talents qu'on risque de se tirer d'affaire. A l'heure de la glasnost et de la perestroïka, il faut un autre esprit, plus souple, plus subtil, même si l'on veut défendre l'appareil, sauvegarder le système bureaucratico-administratif. Je me souviens qu'un jour, quand j'étais encore premier secrétaire à Sverdlovsk, Medvedev rencontra les habitants de notre ville. Au bout d'une demi-heure, sans achever son discours, il fut contraint de quitter honteusement la tribune. A l'époque, déjà, ses clichés, ses sentences primaires, ses phrases empruntées à la langue de bois des journaux étaient insupportables. Aujourd'hui, il règne sur l'idéologie, dans la mesure de ses forces et de ses modestes moyens, et le principal organe de presse du parti, la *Pravda*, courroie de transmission des forces conservatrices, perd tranquillement mais sûrement ses abonnés. Cela n'empêche pas Medvedev d'être solidement installé dans son fauteuil, et il y restera jusqu'à ce qu'il saborde une bonne fois l'idéologie.

En relisant ces quelques pages sur mes anciens collègues du Politburo, je me sens accablé. Voilà donc l'état-major de la perestroïka! Voilà le cerveau du parti! Les plus grands esprits du pays!

Mais pourquoi s'étonner? Pouvait-on attendre autre chose? Qui siège au Politburo? Soit des hommes qui ont lentement gravi les échelons du Comité central, apparatchiks jusqu'à la moelle des os, tels Loukianov, Medvedev, Razoumovski; soit d'anciens secrétaires de comités de région, tels Gorbatchev, Ligatchev... Eltsine, que je n'oublierai pas de mentionner ici, car sa carrière au sein du parti s'est entièrement faite dans les années de la stagnation brejnévienne.

Je comprenais parfaitement que bien des gens respectables continuent à me témoigner de la méfiance, même quand je fus tombé en disgrâce. Après tout, Eltsine était effectivement un fonctionnaire du parti, un ex-premier secrétaire de comité régional. Or, il est impossible d'arriver à cette place, puis au Comité central, en restant honnête, audacieux, en gardant sa liberté de pensée. Une carrière dans le parti implique – c'est une opinion répandue dans le peuple – qu'on ruse, qu'on s'adapte, qu'on devienne dogmatique, qu'on fasse une chose et qu'on en pense une autre. Il serait absurde que je cherche à me justifier. Dans la situation qui est la mienne, seuls mon travail et mes principes me permettront de gagner la confiance des gens.

Je me demande parfois moi-même comment je me suis retrouvé dans ce milieu. Pourquoi le système de sélection, magnifiquement rôdé au fil des années, soigneusement conçu de manière à ne garder que les « siens », ses « semblables », a-t-il soudain flanché? Car moi, je n'ai pas « fonctionné », je me suis « cabré », ce qui ne s'était pas produit des décennies durant. Manifestement, un rouage s'est grippé, la machine a coincé... Chaque nouveau candidat au Comité central ou au Politburo est minutieusement étudié, on finit par savoir tout de lui : ce qu'il pense, ce qu'il veut. Il ne subsiste aucun mystère. Gorbatchev connaissait mon caractère et l'indépendance de mes jugements. Planifiant les problèmes futurs de la perestroïka, sans doute avait-il jugé bon d'avoir, au Politburo, un homme qui ne se comporterait pas docilement. Peu à peu, cependant, sa vision des choses s'est modifiée, il a cédé à son goût du pouvoir, à sa soif de commandement. Ce pouvoir qu'il détenait, il voulait l'éprouver à chaque minute, constamment. Pour qu'on exécute ses ordres, il fallait qu'il eût le dernier mot, que son avis fût décisif, le seul juste. Il en prit vite l'habitude et n'eut désormais plus besoin d'un homme capable d'apporter la contestation.

Du haut en bas de la pyramide, on acquiesçait à ce que disait Gorbatchev. De fait, le travail de l'appareil du Comité central est un phénomène unique en son genre. Nous critiquons souvent les ministères parce qu'ils ne produisent rien et parasitent les entreprises. Mais leur action peut au moins être indirectement mesurée par les succès des diverses branches qu'ils régissent. Il en va très différemment du Comité central. Voilà un organisme qui ne produit rien! Rien, sinon des papiers. Des tonnes de papier. Ses réalisations sont déterminées par ces montagnes d'attestations, de comptes rendus, de réponses, de rapports, d'analyses, de projets, dont rigoureusement personne n'a besoin. L'appareil est aujourd'hui identique au Politburo et au Comité central du parti, ni mieux ni pire. Il n'est pas là pour analyser la situation, élaborer la stratégie et la tactique du parti. Il est une sorte de service idéologique de l'échelon supérieur du parti. Dans un passé encore récent, Brejnev avait soudain parlé de « socialisme développé ». Et l'énorme machine avait aussitôt embrayé, multipliant les mythes sur le sujet : et de raconter comme on vivait bien dans ce socialisme-là, comment il s'était développé et continuait de le faire, ses étapes, les voies de son évolution...

Les premiers temps, Gorbatchev avait sa conception de la perestroïka, plus prudente qu'elle ne l'est aujourd'hui. L'appareil expliquait alors, en termes mesurés, les chemins qui s'ouvraient à nous. Puis Gorbatchev fut contraint de se « gauchiser », et la machine du Comité central prôna docilement une autre ligne, la seule juste cependant, puisque tracée par le Secrétaire général. Tout est basé sur le principe : il en sera fait selon vos désirs.

Chacun se rappelle l'histoire tragi-comique survenue quand Gorbatchev, en visite à l'usine de constructions automobiles de Togliatti, déclara que dans un avenir très proche, nous fabriquerions les meilleures voitures du monde. La presse, la télévision avaient immédiatement repris en chœur ce slogan, appelant à de nouveaux exploits. Les spécialistes ne savaient où se mettre, de honte. Ils étaient effarés. Se lancer dans une telle déclaration, signifiait une totale ignorance de la situation qui régnait dans le pays. Une voiture n'est pas seulement une carcasse en ferraille et un moteur. C'est une chaîne extrêmement complexe d'interrelations entre le savoir-faire des concepteurs, des ingénieurs, des techniciens, ce sont les routes, l'entretien, etc. Qu'un maillon lâche et tout s'écroule, plus question de fabriquer ne serait-ce qu'une voiture de qualité moyenne. Alors, les « meilleures voitures du monde »!... Il y a des chances pour que Gorbatchev n'ait pas inventé cela lui-même, on avait dû le lui souffler. Mais, en admettant que ce soit une de ses trouvailles, on pouvait rectifier, expliquer, ne pas se couvrir de ridicule. On a fait exactement le contraire : chez nous, il est de bon ton, avec l'aide de l'appareil de propagande merveilleusement rodé, de présenter n'importe quelle absurdité, la pire qui soit, comme un sommet de la pensée humaine, le comble de la sagesse et de la sagacité.

Le parti, bien sûr, a besoin d'un appareil. D'un appareil, non pas pléthorique comme celui d'aujourd'hui, mais considérablement réduit, où travailleraient les meilleurs esprits du pays, afin d'analyser la situation, de prévoir la tournure des événements, d'envisager des perspectives de développement. C'est extrêmement important, si l'on considère le rôle que joue actuellement le parti dans notre société. Or, avons-nous été à même de prévenir une seule situation conflictuelle? Avons-nous trouvé une solution satisfaisante à un seul moment de crise? Les lois sur les entreprises d'État et les coopératives, le Nagorny Karabagh, les républiques baltes, etc., chaque question brûlante était aussitôt renvoyée dans une impasse, puis on mettait au point une solution boîteuse, comme par un fait exprès, et il fallait ensuite plusieurs mois et un gâchis terrible pour que tout rentre dans l'ordre.

Que n'a-t-on raconté sur les mensonges de la propagande bourgeoise qui avait inventé un protocole secret adjoint au pacte Ribbentrop-Molotov? Que de fois Gorbatchev a-t-il dû répéter que ce n'étaient que faux et basses calomnies. Alors que n'importe quel individu doté d'un peu de bon sens, voyait bien qu'on ne pouvait plus nier ce que chacun savait déjà depuis longtemps. Au bout du compte, nous avons reconnu que ce protocole secret existait en effet, mais notre obstination nous aura coûté cher en respect et en crédibilité.

Ainsi fonctionne l'appareil du Comité central, distribuant à travers le pays ordres et commandements. Le problème, je le répète, n'est pas l'appareil lui-même mais plutôt le fait que le parti, au plus haut niveau, ait besoin de cet appareil-là, docile, obéissant. Un instructeur du Comité central libre et indépendant? Voilà des mots qu'il est impossible d'accoler, une expression que nous ne pouvons prononcer.

La soumission, la servilité sont rétribuées en passe-droits, en hôpitaux spéciaux, en maisons de repos réservées; elles donnent accès à l'excellente cantine du Comité central, au bureau des commandes tout aussi remarquable, à la clinique du Kremlin, à des voitures de fonction. Plus on grimpe dans la hiérarchie, plus on a d'avantages que l'on redoute de perdre. Alors on se plie un peu plus, on montre encore plus de zèle dans l'exécution des ordres. C'est parfaitement étudié. Un responsable de secteur n'a pas droit à une voiture en permanence, mais il peut, à l'occasion, en commander une pour lui ou ses instructeurs. Un chef de section adjoint bénéficie déjà d'une Volga, son supérieur hiérarchique en a une aussi, un cran au-dessus, avec téléphone.

Et si l'on accède au sommet de la pyramide, c'est véritablement le règne du communisme! Plus besoin, alors, de révolution mondiale, de productivité, d'harmonie générale! Le communisme peut parfaitement être édifié en un seul pays, pour un petit nombre d'élus.

Je n'exagère pas en parlant de communisme réalisé. Ce n'est pas une simple figure de style. J'en donnerai la preuve en rappelant le grand principe de l'avenir communiste radieux : « De chacun selon ses capacités, à chacun selon ses besoins. » C'est exactement ce qui se passe dans la nomenklatura. J'ai évoqué les capacités des uns et des autres, qui, malheureusement, ne sont pas démesurées... Les besoins, en revanche!... Les besoins sont si grands qu'il n'a été possible, jusqu'à présent, d'édifier le communisme que pour une vingtaine de personnes.

Le communisme est réalisé par la neuvième section du K.G.B.

Une section réellement omnipotente. La vie des dirigeants du parti est constamment le point de mire de son œil vigilant. Et elle est à même de satisfaire les caprices les plus fous : une datcha sur la Moscova, masquée par une palissade verte, avec un immense parc, un jardin, des aires de jeu et des terrains de sport, des gardes devant chaque fenêtre et un système d'alarme. Rien qu'à mon niveau de membre suppléant au Politburo, j'avais droit à trois cuisiniers, trois femmes de service, une femme de ménage, un jardinier et ses aides. Ma famille et moi, habitués à nous débrouiller par nous-mêmes, ne savions plus où nous mettre. Pas question, ici, de garder notre autonomie. Le plus étrange est que ce luxe ne donnait aucune impression de confort, d'agrément. Quelle chaleur, quelle intimité le marbre pourrait-il créer dans une maison?

Il était presque impossible de simplement rencontrer des gens, d'avoir des contacts. Si nous allions au cinéma, au théâtre, au musée, dans n'importe quel lieu public, on envoyait d'abord la sécurité : tout était contrôlé, bloqué, cerné; ensuite seulement, nous pouvions nous montrer. Nous avions, d'ailleurs, une salle de projection à la datcha, et chaque vendredi, samedi et dimanche, un projectionniste venait avec un choix de films.

Nous avions droit aux meilleurs soins médicaux, bénéficiions d'un équipement hospitalier entièrement importé, le dernier cri de la science et de la technique. Les chambres de nos cliniques étaient de véritables suites, luxueuses : belle vaisselle, cristaux, tapis, lustres... Les médecins avaient tellement peur de commettre une erreur, qu'aucun ne décidait rien tout seul. Un conseil de cinq ou dix spécialistes hautement qualifiés se réunissait d'abord, et tranchait. A Sverdlovsk, j'avais un médecin, toujours le même, Tamara Pavlovna Kourouchina. Elle était généraliste, me connaissait par cœur, avait un diagnostic très sûr, prescrivait elle-même le traitement pour mes maux de tête, mes rhumes, les périodes où j'étais malade ou, simplement, fatigué.

Ces conseils de médecins de la quatrième section [1], où nul n'engageait sa responsabilité, m'ont toujours paru très suspects. Et lorsque j'ai retrouvé une banale polyclinique de quartier, mes migraines ont cessé, je me suis senti beaucoup mieux. Il y a maintenant plusieurs mois que je n'ai plus affaire aux médecins. Ce n'est peut-être qu'une coïncidence, mais j'y vois un symbole. Au Politburo, le médecin qui vous est attaché est censé procéder à un examen quotidien; cependant, l'absence de liberté individuelle, professionnelle, pèse sur lui, véritable épée de Damoclès.

La « ration du Kremlin » se composait de denrées de choix que l'on payait la moitié de leur prix réel. A Mos-

1. Chargée des questions de santé pour la nomenklatura.

cou, quarante mille personnes seulement bénéficiaient de rations de diverses catégories. Des sections du G.O.U.M. [1] étaient spécialement prévues pour le haut de l'échelle; les responsables de rang un peu inférieur avaient d'autres magasins réservés – toujours la hiérarchie. Tout était « spécial » : ateliers spéciaux, vestiaires spéciaux, polycliniques spéciales, hôpitaux spéciaux, datchas spéciales, maisons spéciales, personnel spécial...

Pour les congés, il suffisait de choisir un endroit dans le Sud : on vous trouverait bien une datcha « spéciale ». Le reste du temps, ces maisons étaient vides. Il y avait d'autres possibilités de prendre des vacances, l'hiver, par exemple, pendant deux semaines. Sans parler des installations sportives ultra-modernes, mais réservées à « une clientèle spéciale », telles que des cours de tennis, couverts et fermés, une grande piscine, un sauna, sur les monts des Moineaux [2].

Et puis les voyages en avion « privé ». Un Iliouchine-62 ou un Tupolev-134 passe dans le ciel, transportant un secrétaire du Comité central, membre, suppléant ou non, du Politburo. Seul. Avec, bien sûr, sa garde et son personnel de service.

Le plus drôle est que rien n'appartient en propre aux nomenklaturistes. Les datchas, les rations, les plages protégées, réservées, le meilleur en toutes choses, appartient au système. Et ce qu'il donne, il peut le retirer n'importe quand. L'idée est géniale, si on y réfléchit. Vous prenez un quelconque Ivanov ou Petrov, peu importe, vous lui faites grimper quelques échelons, et le système lui accorde la jouissance de biens spéciaux à tel ou tel niveau; plus il monte, plus on le couvre de merveilles. Et Ivanov se dit qu'il est un homme important. Il se régale de mets dont les

1. Un des plus grands magasins de Moscou, situé sur la place Rouge.

2. Ancien nom (toujours employé par les Moscovites) des monts Lénine (les collines où se trouve l'université de Moscou).

gens ordinaires ne peuvent que rêver, il prend ses vacances dans des villas dont les autres ne peuvent approcher la palissade. Notre stupide Ivanov ne comprend pas que ce n'est pas à lui que s'adressent ces bienfaits, mais au rang qu'il occupe. S'il cesse de servir fidèlement et loyalement le système, de le défendre, il « sautera » et sa place sera prise par Petrov ou un autre. Dans ce système, l'homme ne possède rien. Staline avait poussé la chose à un tel degré de raffinement, que même les épouses de ses compagnons de lutte ne leur appartenaient pas. Elles aussi étaient au système. Et celui-ci pouvait les leur retirer, comme ce fut le cas pour Kalinine ou Molotov, sans qu'ils osent piper mot.

Si les temps ont changé, l'esprit est resté le même. Un large éventail de biens est proposé à tel ou tel rang de la hiérarchie, mais chacun d'eux, depuis le confortable fauteuil rigoureusement numéroté jusqu'au médicament introuvable portant le tampon de la quatrième section, est marqué au sceau du système. L'individu demeure un rouage et il ne doit pas oublier à qui tout cela appartient.

Poursuivons notre tour d'horizon des privilèges. A chaque secrétaire du Comité central, membre suppléant ou titulaire du Politburo, est attaché un responsable de la garde, qui remplit aussi diverses missions, organise (le mien – si vigilant ! – s'appelait Iouri Fiodorovitch). Il a, entre autres obligations, celle de faire en sorte que soit réalisé le moindre désir de son... j'allais dire barine [1]... de celui dont il a la tutelle.

Vous faut-il un nouveau costume ? Aucun problème : à l'heure dite, on frappe discrètement à la porte de notre bureau, le tailleur prend vos mesures, le lendemain il procède aux essayages, et bientôt vous voilà élégamment vêtu.

Vous devez offrir un cadeau à votre épouse le 8 mars [2] ?

1. Seigneur, avant la révolution.
2. Fête des femmes.

Ne vous tracassez pas : on vous apportera un catalogue avec un choix susceptible de satisfaire les goûts les plus raffinés. On est en général plein d'égards pour les familles. Conduire votre femme au travail, la ramener, transporter vos enfants à la datcha, vous parlez d'une affaire! Une Volga est prévue à cette fin, avec immatriculation spéciale et chauffeurs qui se relaient constamment. La ZIL, cela va de soi, est réservée au chef de famille.

Reposant sur un cynisme profond, ce système révèle parfois sa vraie nature, avec d'autant plus d'insolence qu'il s'adresse aux proches du nomenklaturiste. Ainsi, donnant ses consignes à ma femme et mes enfants, l'équipe chargée de ma sécurité leur interdit formellement de me faire manger des fruits et les légumes venant du marché : ils pourraient être empoisonnés. Une de mes filles demanda alors timidement si le reste de la famille avait le droit d'en consommer et on lui répondit : « Vous, oui, mais pas lui. » Autrement dit : empoisonnez-vous tant que vous voulez, lui, en revanche, est sacré!

Les Moscovites ont l'habitude de se figer sur place en voyant passer dans les rues, à grande vitesse, dans un bruissement de pneus, les ZIL gouvernementales. Non qu'ils vouent un tel respect aux individus qu'elles transportent. Simplement, le spectacle est réellement impressionnant. La voiture n'a pas encore franchi le portail, qu'au long de l'itinéraire prévu les postes du G.A.I. [1] sont alertés. Partout, la voie est dégagée, pas le moindre ralentissement, la voiture roule à toute allure. C'est agréable, les dignitaires du parti ont oublié l'existence des bouchons, des feux.

Une Volga accompagne systématiqucment la voiture des membres du Politburo. Ayant reçu plusieurs avertissements, des menaces, je fus moi aussi doté d'une Volga de garde. Je demandai à en être dispensé, mais il me fut répondu quc je n'étais pas compétent pour régler la ques-

1. L'équivalent de la police de la route.

tion de ma sécurité. Il devint impossible, pendant un temps, de m'assassiner. J'étais protégé de tous côtés. Heureusement, on ne tarda pas à supprimer cette protection supplémentaire.

La ZIL était vingt-quatre heures sur vingt-quatre à ma disposition. Où que j'aille, elle m'attendait, avec son téléphone spécial. Si je passais la nuit à la datcha, mon chauffeur dormait dans une maison à part, de manière à pouvoir partir à n'importe quel moment.

Ma datcha avait d'abord appartenu à Gorbatchev. Il en occupait une nouvelle, spécialement aménagée pour lui. Quand je m'y rendis, la première fois, je fus accueilli à l'entrée par le chef de la garde. Il me présenta le personnel. Puis, je visitai les lieux. De l'extérieur, déjà, je fus suffoqué par l'énormité de la maison. A l'intérieur, un hall de cinquante mètres carrés avec une cheminée, du marbre, des parquets, des tapis, des lustres, un luxueux ameublement. Ensuite, une pièce, une seconde, une troisième, une quatrième. Dans chacune d'elles, un poste de télévision en couleurs. Au rez-de-chaussée également, une immense véranda avec verrière, une salle de projection dotée d'un billard. Je m'embrouillais dans le compte des salles de bains et des w.-c. Au milieu de la salle à manger, une table de dix mètres de long, à côté, la cuisine, véritable combinat alimentaire, avec chambre froide en sous-sol. Un vaste escalier menait à l'étage. Là encore, un gigantesque vestibule avec cheminée, donnant sur un solarium avec chaises longues et fauteuils à bascule. Puis un bureau, une chambre, deux pièces encore dont je ne voyais pas bien l'utilité, et de nouveau des toilettes et des salles de bains. Partout, du cristal, des lustres anciens ou modernes, des tapis, des parquets de chêne et j'en passe.

La visite achevée, le chef de la garde demanda joyeusement : « Alors ? » J'eus un grognement indistinct. Ma famille était effarée, écrasée.

Le plus effrayant, était l'absurdité de tout cela. Je ne

parle pas ici de la justice sociale, de la hiérarchie, de l'énorme différence des niveaux de vie. Mais pourquoi fallait-il réaliser aussi stupidement les rêves de plaisir et de grandeur du parti et des nomenklaturistes? Qui a besoin à la fois de tant de pièces, de salles de bains et de postes de télévision?

Qui paie tout cela? La neuvième section du K.G.B. Il serait intéressant de savoir sous quelle rubrique cela figure dans le budget : lutte contre les espions? Subornation de citoyens étrangers? Ou bien un intitulé plus romantique : service de renseignements cosmiques?...

Pour les congés, le choix était vaste : la Pitsounda, Gagry, la Crimée, le Valdaï... On donnait au chef de la garde, si je ne m'abuse, près de quatre mille roubles – de l'argent de poche, en quelque sorte. Il n'avait pas besoin de toucher à son salaire. Partout, la même richesse, le même luxe. On nous conduisait en voiture à la mer, à deux cents mètres. Je préférais marcher. Je m'obligeais à me secouer, organisais des équipes de volley. Avec ma fille, mon secrétaire et mon chauffeur, nous jouions contre la garde; c'étaient des gars solides, jeunes, nos matchs étaient terribles. Je tentais à tout prix de mettre un peu de chaleur humaine dans cette oasis communiste aseptisée. Je dois dire que j'avais du mal.

Je me trompe peut-être, mais j'ai le sentiment que la perestroïka ne se serait pas figée, malgré les erreurs tactiques, si Gorbatchev avait montré plus de mesure dans la question des « biens réservés », s'il avait renoncé à des privilèges agréables, auxquels il était habitué, et dont on peut parfaitement se passer. Il n'aurait pas dû sc faire construire une maison sur les monts Lénine, une nouvelle datcha dans les environs de Moscou, en restaurer une seconde à la Pitsounda, en bâtir une troisième, hypermoderne, du côté de Foros. Pour déclarer ensuite, d'un ton pathétique, au Congrès des députés du peuple, qu'il n'avait pas de villa pour lui-même. Ne voyait-il pas à quel point cela sonnait faux? S'il avait agi autrement, les gens auraient continué de croire aux mots d'ordre et aux appels de la perestroïka. Sans cette foi, les plus belles, les plus honnêtes transformations sont impossibles. Et quand les gens prennent conscience des criantes inégalités sociales, quand ils s'aperçoivent que leurs leaders ne cherchent en rien à y remédier, ils perdent le peu de confiance qui leur reste.

Comment expliquer l'attitude de Gorbatchev? Par certains traits de sa personnalité, me semble-t-il. Il aime vivre agréablement, confortablement, luxueusement. Sous ce rapport, son épouse n'arrange rien. Elle affecte de ne pas remarquer avec quelle attention, quelle hargne, des millions de Soviétiques, des femmes surtout, observent le moindre de ses gestes. Elle veut être présente, jouer un rôle important dans la vie du pays. Sans doute cela serait-il très normal dans une société riche, heureuse, convenablement nourrie, mais pas chez nous, du moins actuellement. Là encore, Gorbatchev est incapable de percevoir les réactions des gens.

Comment le pourrait-il, d'ailleurs, s'il n'y a jamais eu le moindre lien direct entre le peuple et lui? Ses rencontres avec les travailleurs ne sont qu'une mascarade. Quelques personnes soigneusement triées sur le volet bavardent avec lui, entourées d'un gigantesque cordon de forces de sécurité. Ces gens sûrs, censés représenter le peuple, sont spécialement amenés en car pour la circonstance. Chaque fois, cela tourne au monologue. On lui dit quelque chose qu'il n'entend pas, ou feint de ne pas entendre, et il parle de ce qui lui plaît. Un triste tableau.

Et la ZIL de sa femme? Et sa décision d'augmenter le salaire des membres du Politburo? Cela finit toujours par se savoir, on ne peut rien dissimuler bien longtemps. Mes filles, à leur travail, ont droit à un morceau de savon par mois, ce qui suffit à peine. Et quand ma femme passe deux, trois heures par jour dans les magasins sans pouvoir acheter le strict minimum pour nourrir sa famille, elle, si calme, équilibrée, commence à s'énerver, devient dépressive.

Il est certain que la nomenklatura devra un jour rendre ses datchas et répondre devant le peuple pour s'être ainsi accrochée, bec et ongles, aux biens dont elle a la jouissance. Elle commence déjà à payer la facture de sa folie des grandeurs : l'échec, aux élections, des fonctionnaires du parti et des soviets, est un premier signal d'alarme. Elle est contrainte, dès à présent, de chercher à satisfaire les revendications des travailleurs. Mais elle y consent à contrecœur, en grinçant des dents. Elle tient tant à ses privilèges, qu'elle est prête, pour les garder, à ruser de toutes les façons, à tromper, à duper, afin de freiner ce processus.

Ryjkov devait récemment déclarer qu'on avait cessé de distribuer les « rations » de vivres, que le magasin spécial de la rue Granovski était fermé. C'est vrai, le magasin est fermé; mais les rations continuent d'être fournies, comme elles l'ont toujours été. Elles sont simplement concentrées, désormais, dans les bureaux de commande. Rien n'a changé. Les chauffeurs des dirigeants du parti et des soviets, des ministres, des académiciens, des rédacteurs en chef, et autres citoyens haut placés, rapportent des cabas emplis de délicatesses en tout genre, les chargent dans les coffres des limousines noires et les livrent à leurs chefs.

Au moment où j'écris ces lignes, j'ignore encore le résultat des travaux de la commission d'enquête sur les abus de privilèges et de passe-droits. Je ne sais ce que décidera le deuxième Congrès des députés du peuple, quand il abordera ces questions. Mais je pense qu'il sera mis un terme à ce scandale. Nous liquiderons une fois pour toutes ce système de castes, pour un monde civilisé où l'unique mesure des valeurs matérielles sera le rouble honnêtement gagné. Je mets en cela mon espoir.

Quand on raconte derrière mon dos que j'ai renoncé à

mes privilèges – datchas, rations, polycliniques spéciales... – pour assurer ma popularité, gagner les sympathies de la foule, avide d'égalitarisme et désireuse que tous vivent pareillement mal, je n'y prête pas attention, ne me formalise pas. Je sais qui répand ces bruits et pourquoi. Il m'arrive cependant aussi de l'entendre de gens qui me sont proches, des amis, des alliés. Dans telle ou telle situation concrète, ils me demandent pourquoi, par exemple, je n'ai pas gardé mes entrées à la quatrième section. Où trouver, à présent, des médicaments (j'avais pris froid, alors)? Il n'y a rien, ni antibiotiques, ni « analguine », ni vitamine C.

Une autre illustration, toute fraîche. Durant l'été, en pleine session, j'écrivais ce livre par à-coups, tantôt la nuit, tantôt le dimanche; je n'avais pas un instant pour travailler normalement. En août, commencèrent les vacances parlementaires, et je résolus de m'atteler pour de bon à mon manuscrit. A mon bureau, je n'arrivais pas à écrire, il y avait toujours des millions de problèmes à régler. Chez moi, ce n'était guère mieux, le téléphone sonnait sans cesse. Je décidai de louer pendant deux semaines une datcha aux environs de Moscou, où nul n'aurait l'idée de venir me déranger. Il apparut alors que c'était impossible, il eût fallu s'y prendre au début du printemps. Nous nous sommes mis à chercher frénétiquement le moindre bout de maison où je puisse m'isoler. J'avais peu de congés, chaque heure comptait. J'en ai entendu des reproches! Avec mes idées de justice sociale, je n'avais que ce que je méritais. Pourquoi avais-je renoncé à la datcha que m'offrait si aimablement l'État? Si au moins j'avais attendu de terminer mon livre!... Finalement, nous avons trouvé une maison. Elle présentait le grand avantage d'être située loin de Moscou, à près de deux cents kilomètres. La nature était magnifique, des oiseaux, la forêt, des champignons. Pour le reste, les commodités étaient dans la cour. C'est ainsi, dans des conditions normales, celles de la vie, qu'est né ce texte.

Mais assez de digressions. Pour en revenir aux privilèges, bien sûr que j'ai envie de manger convenablement, sainement, bien sûr que j'aime bénéficier de l'attention et des égards des médecins, que je trouve agréable de me reposer sur une plage magnifique... Et quand j'ai décidé de dire adieu à tout cela, ma famille s'est heurtée à d'innombrables problèmes, comme, d'ailleurs, des millions de familles soviétiques.

Chacun de nous rêve de vivre à l'instar du monde civilisé. C'est pourquoi je ne comprendrai jamais la fierté avec laquelle Gorbatchev s'est vanté, au Congrès, de ne pas avoir de datcha. Si tel était le cas, y aurait-il de quoi s'enorgueillir? Il est parfaitement naturel que le Secrétaire général possède une villa, payée de ses deniers, de son travail, comme n'importe quel ouvrier, écrivain, ingénieur, professeur... Mais il trouve mieux d'avoir sa datcha d'État.

Quant à moi, tant que nous vivons dans la pauvreté et le dénuement, je ne peux manger d'esturgeon ou de caviar, foncer en limousine, doublant les automobilistes médusés et ne respectant aucun feu, me soigner avec de super-médicaments d'importation, en sachant que ma voisine n'a pas d'aspirine pour son enfant.

Quelque part, cela me fait honte.

Et cela m'amène à réfléchir à la situation de notre pays, aux voies que nous avons choisies, aux causes de notre faible niveau de vie, à la pénurie devenue chronique, à la morale, au spirituel, à l'avenir.

Beaucoup se demandent où nous allons, si nous édifions vraiment la maison dont nous avons besoin, où tous pourront, sinon connaître la prospérité, du moins mener une existence supportable. La société tente actuellement par tous les moyens de se débarrasser de ses vieux schémas, de prendre enfin la bonne direction. Assez d'errances! Mais les issues sont barrées par le mensonge, par un bric-à-brac dogmatique, et il nous faudra déployer beaucoup d'énergie pour ne pas nous perdre définitivement dans les éboulis du passé.

A en croire les manuels et autres ouvrages théoriques, nous avions depuis belle lurette construit le socialisme, puis, pour de mystérieuses raisons, nous avions entrepris de « faire les finitions », enfin, nous l'avions édifié « pour de bon, sans possibilité de retour en arrière ». Ce n'était pas encore assez pour les idéologues. Avec l'aide de L.I. Brejnev, ils ont proclamé la naissance du « socialisme développé ». Ils se cassent actuellement la tête sur la façon de définir l'étape présente. Il faut bien trouver une formule ! Comment nous en passerions-nous ? A en croire nos théoriciens, il existerait chez nous vingt-six formes de mode de vie soviétique. Sans doute, y aura-t-il bientôt autant de formes de socialisme...

Si l'on met en regard, objectivement, la théorie et la pratique du socialisme, il apparaît que de toutes ses composantes, un seul principe a été réalisé : la propriété collective. Et encore, grossièrement ! Les autres éléments du socialisme n'existent pas concrètement, ou ils ont été à ce point retouchés qu'ils sont devenus méconnaissables.

Pour savoir où nous allons, nous devons d'abord nous demander d'où nous venons. Dans les années vingt, Staline a « sabré » toute possibilité de voie démocratique et entrepris d'implanter un socialisme bureaucratique, étatisé, autoritaire. La démocratie fut étouffée dans l'œuf et la société, privée du droit à la parole, ne pouvait plus produire qu'une caricature d'elle-même. Comment les gens auraient-ils construit quelque chose ensemble, sans aucun moyen de s'exprimer ? On fit tout pour effrayer le peuple, dans une absence totale de dialogue entre le parti et lui. C'était le début de la dictature politique et de la terreur.

La démocratisation de la société aurait ouvert des perspectives bien différentes, favorisant l'« intérêt personnel », l'intéressement et la responsabilité de chacun. Sans oublier l'autofinancement, réel, et non de façade. Ce ne fut malheureusement pas le cas. La politique économique adoptée se fondait exclusivement sur l'intérêt collectif. Une couverture bien commode, permettant aux bureaucrates du parti de jouer des pires méthodes de gestion, afin de servir, d'abord et surtout, leur intérêt propre. Certainement pas ceux des ouvriers et des paysans.

On écrit beaucoup, aujourd'hui, sur la régénérescence de notre socialisme. C'est, pour le moins, une mauvaise défense du socialisme, car on ne peut régénérer que ce qui existe déjà dans le temps et l'espace. Si la maison est construite, pourquoi, en effet, ne pas la rénover, l'améliorer, l'agrandir, la reconstruire? Mais si on n'en a « jamais vu la couleur »? J'estime que nous en sommes encore à édifier le socialisme. Il nous faut une théorie, honnête, vraiment scientifique, à même de rassembler et de prendre en compte, sans spéculations, notre expérience de soixante-dix ans.

Les images dogmatiques du socialisme ne disparaissent pas en un jour, fonctionnant, longtemps encore, par la force d'inertie.

La longue primauté des facteurs économiques de développement sur les facteurs politiques et sociaux n'a pas manqué de se refléter sur la stratégie d'ensemble de la perestroïka. La réforme économique ne s'est pas accompagnée d'une perestroïka simultanée (voire antérieure) de la structure politique.

Il aurait fallu commencer la reconstruction par le parti, l'appareil. Il était nécessaire de définir précisément la place du parti au sein de la société et sa « force de frappe dirigeante ». Or, nous avons entrepris de restructurer l'économie, en restant prisonniers de dogmes et de traditions venus du passé, de conceptions mortes, sans prévoir un éventail de lois sur la propriété, la terre, la coopération, le bail, l'impôt, les prix.

Nous essayons aujourd'hui, en accélérant la réforme politique, de combler ces lacunes. Le peu de chose qui a été réalisé a entraîné une remarquable politisation de la conscience sociale. Le peuple participe désormais activement au jeu politique.

Initiée par la diplomatie populaire, la politique populaire a agrandi l'arsenal de ses moyens, de ses formes et de ses méthodes. La vie sociale s'est trouvée littéralement chamboulée par les grèves et la création des comités de grève. La presse populaire se développe, elle aussi, grâce aux publications d'organisations autonomes : « groupes informels », fonds, groupes d'initiative, etc. Dans une série de républiques et de régions sont apparus des « fronts populaires » de plus en plus actifs, au point de faire parfois figure de nouveau parti politique dans la société. Je suis pour la création de ces « fronts populaires », à condition que leur programme et leur action respectent les valeurs proprement humaines. Dans les républiques baltes, les « fronts populaires » ont soulevé des questions que le parti s'est refusé à résoudre. Je veux parler du problème des nationalités.

La perestroïka a mis les gens en émoi, réveillant leur énergie créatrice, suscitant leur imagination sociale. Il importe que la politique populaire, sous toutes ses formes, occupe la place qui lui revient dans la société. Elle doit permettre de rassembler ceux qu'inquiètent les destinées du pays et qui souhaitent instaurer un régime vraiment démocratique. L'exclusion des dissidents du combat pour la perestroïka risquerait d'affaiblir le mouvement populaire. Nous sommes redevables à la pensée dissidente; sans elle, notre unanimité, privée de volonté, nous conduirait à une stagnation plus désespérée que la précédente. Le pluralisme des idées est à encourager, particulièrement en période critique : chaque nouvelle parole, chaque nouvelle trouvaille est ici extrêmement précieuse. Et puis, peut-on retirer aux hommes le droit de faire travailler leur esprit en toute indépendance?

CHAPITRE VIII

12 mars 1989

CHRONIQUE DES ÉLECTIONS

Les débats télévisés viennent d'avoir lieu. Nous apprenons auprès des pays civilisés les rites des élections modernes. Il nous fallait aussi des discussions retransmises par la T.V.

Ce n'est pas si simple. La caméra est là qui vous bride, vous oblige à adopter une attitude d'autant moins naturelle que vous savez que tout se passe en direct.

Précision non négligeable : c'était ma première rencontre médiatique avec les Moscovites, depuis mon éviction du poste de premier secrétaire du comité de la capitale. Cela m'était un obstacle supplémentaire. Je voulais montrer aux gens que j'allais bien, que j'avais supporté dignement ce qui m'était arrivé en un an et demi.

Si l'on considère sérieusement les élections, il importe d'apprendre également à se tenir devant une caméra. C'est une forme particulière de contact avec les électeurs, sans rien de commun avec les meetings et autres réunions. Ceux-là sont vivants, il y a le souffle de la salle, une réaction à chaque mot que vous prononcez. Vous le sentez : l'énergie de l'auditoire se transmet à vous, et vous lui transmettez la vôtre... Ici, en revanche, vous n'avez que l'œil froid de l'écran de contrôle fixé sur vous, où ne se reflètent que la lumière et vous-même. Il faut se débrouiller pour imaginer, derrière tout cela, des indivi-

dus en chair et en os, chez eux, en train de boire leur thé et de vous écouter plus ou moins attentivement...

Mais ce que j'écris là n'est que théorique. Concrètement, les choses se sont passées ainsi : nous sommes arrivés à Ostankino[1]*, une demi-heure environ avant le début de l'émission. Nous avons bavardé, avec le responsable, de la façon dont elle se déroulerait. Il a expliqué en deux mots le système des appels téléphoniques : il était prévu que chaque candidat répondrait à quelques questions d'auditeurs. L'organisateur de l'émission se chargerait de les sélectionner.*

Et ce fut le direct. I. Brakov présenta son programme, puis j'eus également dix minutes pour exposer le mien. J'étais, je le répète, plus emprunté que de coutume, dans mon attitude comme dans mon discours. J'informai cependant les téléspectateurs de ce que j'entendais réaliser, au cas où je serais élu.

Il n'est jamais très agréable de se montrer soupçonneux. Mais il faut dire que le choix des questions était stupéfiant. Brakov eut droit à des questions faciles, ordinaires, pour la plupart directement liées à la production : les usines ZIL, leur avenir, etc. Moi, je dus répondre, une fois de plus, à de véritables attaques. Je bouillais intérieurement, et cela m'a peut-être servi : mes propos n'en furent que plus émotionnels, plus énergiques.

Le meneur de jeu a toute latitude pour retenir telle ou telle question, s'il veut pousser les candidats à affirmer leurs positions. Curieusement, cependant, on s'ingénia à me lire les fiches de Moscovites qui (des journalistes me l'assurèrent) n'existaient pas ou qui, s'ils n'avaient pas été inventés de toutes pièces, n'avaient rien demandé. Un exemple : « Pourquoi cherchez-vous toujours, Boris Nikolaïevitch, à faire votre publicité? Pourquoi vous sentez-vous obligé, quand vous vous rendez simplement à une consultation dans une polyclinique, de traîner avec vous

1. Quartier de Moscou où se trouve la tour de télévision.

une cohorte de journalistes et de cameramen?... » La question venait de X, résidant à telle adresse.

Le matin même j'étais allé pour une visite de routine à la polyclinique de quartier à laquelle j'étais rattaché depuis que j'avais quitté la quatrième section. Je me souviens que la secrétaire – une femme d'un certain âge – qui avait rempli ma fiche (adresse, âge, lieu de travail...), avait failli lâcher son stylo quand, à la rubrique profession, j'avais répondu : ministre. Revenue de sa surprise, elle avait dit : « C'est bien la première fois que je vois un vrai ministre s'inscrire dans une clinique de quartier. » Une équipe de télévision stationnait en bas de chez moi, guettant le moment où j'apparaîtrais. Elle avait filmé mon arrivée à la polyclinique, ainsi que ma sortie. Rien de plus. Détail important, la scène se passait à huit heures du matin, et je n'avais guère plus de cinq minutes de marche pour gagner le dispensaire. Il fallait ne pas me lâcher d'une semelle pour être en mesure de noter que la télévision était là.

Lors du débat, je répondis que j'en avais personnellement par-dessus la tête des journalistes, photographes et autres cameramen, qui ne me laissaient pas faire un pas tranquille, et qu'il fallait leur demander, à eux, pourquoi ils étaient sans cesse à mes côtés. Des mois durant on n'avait pu me filmer, on n'avait eu aucune information à mon sujet. Cela expliquait peut-être cette absurde surenchère...

Ce n'est pas tout. Le lendemain, la même équipe de télévision, consciente que, sans le vouloir, elle m'avait joué un mauvais tour, se rendit à l'adresse citée par le présentateur... Le nom, l'immeuble, tout correspondait. A ceci près que la personne mentionnée n'avait jamais posé la moindre question et n'était pas le moins du monde au courant de cette histoire de polyclinique. Elle pria les journalistes de dire à Boris Nikolaïevitch de ne pas s'inquiéter, qu'elle voterait pour lui. L'opérateur filma la scène en vidéo et m'offrit la cassette.

Mon état-major entreprit de vérifier une partie des adresses. Le tableau était en gros partout le même : ou il s'agissait de noms inventés, ou les gens habitaient bien là mais n'avaient pas participé à l'émission.

Amusants, non, mes débats télévisés?

Difficile de sélectionner deux ou trois questions représentatives, parmi les centaines de billets qui m'ont été adressés sur le thème évoqué ici, récemment encore absolument tabou.

Le plénum d'octobre (1987), secret, confidentiel, et qui devait faire tant parler de lui... Le plénum où je finis tout de même par intervenir.

Je me suis souvent demandé par la suite si une autre attitude aurait été possible, s'il me fallait ruer dans les brancards aussi brutalement, rechercher ainsi le conflit, le scandale, courir au-devant d'un tel bouleversement de ma vie personnelle. Car je me rendais parfaitement compte que j'avais toutes les chances de ne pas supporter psychologiquement l'« exécution » qui m'attendait. Pourquoi avais-je besoin de cela?

A deux ans de distance, je suis en mesure d'affirmer que ma prise de position s'imposait : elle était dans la logique des événements. Tous nageaient dans l'enthousiasme et l'euphorie de la perestroïka, nul ne voulait voir l'absence de résultats concrets, à l'exception de quelques changements en faveur de la glasnost et de la démocratisation. A une analyse critique réelle de la situation, le Politburo préférait les louanges creuses à l'adresse de Gorbatchev. Mes empoignades avec Ligatchev atteignaient aussi leur point culminant. Pour résoudre les problèmes les plus aigus de la capitale, j'avais besoin de l'aide unanime du Politburo. La capitale formait un conglomérat si complexe, tout y était si embrouillé, inextricable, que seuls des efforts conjugués pouvaient faire bouger les choses. Or, je sentais depuis quelque temps un refus manifeste de prêter main-forte à ceux qui désiraient le changement.

Était-il envisageable de continuer à travailler dans ces conditions? Si l'on acceptait de devenir autre, de ne plus donner son point de vue, de feindre de ne pas remarquer que le pays courait à l'abîme, et de s'écrier fièrement que le parti et son Secrétaire général étaient les organisateurs, les inspirateurs, les architectes de la perestroïka.

On ne saurait imaginer combien ces discours hypocrites, fabriqués, me mettaient en fureur. Sous couvert du parti, l'appareil bureaucratique avait ruiné l'U.R.S.S. et, au moment où il devenait clair qu'il fallait tenter de transformer ce système entièrement corrompu, on criait : ne touchez pas au parti, il est l'architecte de la perestroïka! Comment ne pas y toucher, alors que chacun savait, dès l'école maternelle, que tout ce qui se passait dans le pays venait de lui? Son rôle d'initiateur, son rôle dirigeant n'était-il pas inscrit dans l'article 6 de la Constitution? Qui était responsable de ce qui nous arrivait? Cette nouvelle communauté historique que formait le peuple soviétique? Ou bien ceux qui, depuis soixante-dix ans, en étaient les créateurs, les inspirateurs? Chaque jour, les apparatchiks répétaient, comme une incantation : l'autorité du parti est inébranlable! Nous ne vous permettrons pas de le souiller de vos sales pattes!...

Deux ans après le plénum d'octobre, la société a parcouru un bon bout de chemin. Les gens ont pris conscience qu'ils n'étaient pas de simples rouages, mais des individus ayant un rôle à jouer; le peuple s'est attaqué aux bureaucrates contraints, soudain, de défendre fébrilement, dans la panique, leur situation plus que chancelante. A l'époque de mon intervention, il était exclu de s'en prendre aux fondements du système, de même qu'aux personnalités haut placées. Le Secrétaire général ne se distinguait en rien d'un tsar de droit divin ; exprimer la moindre réserve à son égard, le moindre doute sur la justesse de son action représentait, pour le parti, un intolérable blasphème. On ne pouvait que se répandre en exclamations enthousiastes sur le numéro un, se réjouir de la chance qu'on avait de travailler avec lui, déplorer, à la rigueur, qu'il fût si modeste et ne permît point qu'on le couvrît d'éloges...

En montant à la tribune, je ne pensais pas un instant que mon intervention risquait de faire avancer les choses, d'augmenter le niveau de glasnost, de réduire le nombre des points inaccessibles à la critique... Il m'importait seulement de rassembler tout mon courage et de dire ce que je ne pouvais plus taire.

Je n'avais pas rédigé mon intervention. Je citerai le compte rendu des *Izvestia*.

« ELTSINE. – Les rapports, les projets de rapports – tant celui d'aujourd'hui que celui du soixante-dixième anniversaire d'Octobre – ont été examinés par le Politburo. Ayant, à cette occasion, formulé quelques propositions dont une partie a été retenue, je n'ai plus de remarques à ce sujet.

« Je voudrais, cependant, soulever une série de questions qui se sont posées à moi au cours de mon travail au sein du Politburo.

« Je reconnais pleinement les immenses difficultés que rencontre actuellement la perestroïka. Je n'ignore pas les responsabilités, les devoirs qui sont les nôtres.

« Il me semble qu'il eût fallu commencer par une restructuration de l'activité des comités du parti, voire du parti tout entier, depuis le Secrétariat du Comité central, comme cela avait été envisagé au plénum de juin.

« Cinq mois ont passé depuis et rien n'a changé : le fonctionnement du secrétariat, le style du cam. Ligatchev sont restés les mêmes.

« Les querelles en tout genre, les coups de semonce que Mikhaïl Sergueïevitch déclarait aujourd'hui inadmissibles dans les différents organes de direction, sont tolérés ici, à ce niveau, au moment où le parti devrait justement choisir la voie révolutionnaire. Or, cet esprit, cette énergie révolutionnaire, cette camaraderie de parti à l'égard de nombreux comités locaux et de nombreux membres, paraissent faire cruellement défaut. J'estime qu'il conviendrait de tirer les leçons du passé, d'affronter vraiment les fameuses " taches blanches " de l'histoire qu'évoquait il y a un instant Mikhaïl Sergueïevitch, et, effectuant le bilan du présent, de prendre, la mesure de l'avenir. Que devons-nous faire? Comment rectifier, ne plus tolérer les erreurs d'hier, qui ont discrédité les normes léninistes de notre vie, puis les ont évacuées purement et simplement des règles de conduite de notre parti.

« Je crois qu'en annonçant au Congrès que la perestroïka s'effectuerait en deux ou trois ans – deux ans ont presque passé et on nous fixe à nouveau le même délai –, on a considérablement désorienté les gens, le parti, les masses. On s'aperçoit actuellement que l'attitude à l'égard de la perestroïka subit des flux et des reflux. Elle a d'abord suscité un immense enthousiasme. L'effervescence était grande, y compris pendant le plénum de janvier. Mais après le plénum de juin, la confiance a bel et bien chuté, ce qui nous inquiète beaucoup. Les deux années écoulées ont été perdues à élaborer des textes qui n'ont pas véritablement touché la vie des gens, ébranlant leur espoir.

« J'en déduis qu'il faudrait montrer plus de prudence, pour les deux ans à venir, quant aux délais, aux cadences réelles de la perestroïka. Elle sera très, très difficile à réaliser, nous le comprenons tous, et s'il importe aujourd'hui de révolutionner l'action du parti – ce qui est indispensable – et de ses comités, cela ne pourra se faire en deux ans. Nous risquons, en fixant une limite dans le temps, d'affaiblir l'autorité du parti dans son ensemble.

« Les invites réitérées à se montrer moins paperassier, alors même qu'on ne cesse de multiplier les documents, entraînent une déconsidération des résolutions adoptées. Nous appelons également à réduire le nombre des institutions qui sont autant de poids morts ; mais rien que pour Moscou où, au terme des immenses efforts déployés par le comité de ville, sept institutions sur mille quarante et une ont été supprimées, on arrive aujourd'hui – conséquence de la résolution relative à la création de nouvelles institutions à Moscou – à un total de mille quatre-vingt-sept. Ce qui est en contradiction flagrante avec la ligne du parti, les décisions du Congrès et les mots d'ordre qui sont les nôtres.

« Une autre question me tracasse. Elle est ardue, mais nous sommes en plénum et les membres du Comité central forment ce cercle unique, par la confiance et la sincérité qui y règnent, où l'on peut, où l'on doit exprimer ce qu'on a sur le cœur, en tant qu'homme et communiste.

« Les leçons tirées des soixante-dix ans de notre révolution sont dures. Nous avons connu des victoires, nous constatons également aujourd'hui le résultat de cuisantes défaites. Ces dernières se sont révélées peu à peu. Elles s'expliquent par l'absence de collégialité, les fractions, la concentration du pouvoir entre les mains d'un seul homme exempt de toute critique.

« Je suis inquiet de constater, depuis quelque temps, une tendance assez nette de certains membres titulaires du Politburo à flatter le Secrétaire général. Dans les circonstances actuelles, j'estime cela inadmissible, alors même que s'instaurent entre nous les formes les plus démocratiques de camaraderie, dans le respect des principes. Des critiques directes, formulées droit dans les yeux, voilà de quoi nous avons besoin, et non de ces discours creux qui, peu à peu, risquent de devenir la " norme ", de tourner au culte de la personnalité. C'est inacceptable.

« Je comprends que cela ne peut, aujourd'hui, dépasser les limites supportables, prendre des formes intolérables, mais ces signes existent et il nous faut, à l'avenir, conjurer le danger.

« Enfin, un dernier point (*une pause*).

« Il est clair que mon travail au sein du Politburo ne produit pas les résultats escomptés. Cela s'explique de plusieurs façons. De toute évidence, mon expérience et bien d'autres choses encore, dont, peut-être, le manque de soutien, surtout de la part du camarade Ligatchev, me conduisent à vous demander maintenant de me libérer de ma charge de membre suppléant du Politburo. J'ai déjà transmis ma requête à qui de droit. Quant à mes fonctions de premier secrétaire du comité de ville, il appartiendra, me semble-t-il, au plénum du même comité de trancher. »

Je regagnai ma place. Mon cœur battait à se rompre. Je savais ce qui m'attendait. J'allais être systématiquement mis en pièces, avec, de la part de ceux qui s'y emploieraient, un certain plaisir, une certaine jouissance.

Le temps a passé depuis, mais la blessure ne s'est pas refermée. Elle m'empoisonne toujours, je ne comprends pas bien pourquoi. Pouvais-je espérer autre chose du Comité central, conservateur dans sa grande majorité? Le scénario se dessinait très nettement. Il avait été préparé à l'avance, indépendamment – je l'ai saisi par la suite – du fait que j'intervienne ou pas. Gorbatchev donnerait le ton, puis les accusateurs se précipiteraient à la tribune, me reprochant de saper l'unité du parti, dénonçant mes ambitions personnelles, mes petites intrigues politiques. On me collerait quantité d'étiquettes infamantes, comme si j'étais, à moi tout seul, un parti d'opposition. Mes collègues seraient si nombreux à vouloir anéantir la « brebis égarée », qu'il faudrait sans doute limiter les interventions.

Et c'est ce qui se produisit. Mais revenons au sténogramme du plénum.

« Gorbatchev. – Il vaudrait peut-être mieux que je dirige à présent la séance.

Ligatchev. – Oui, je vous en prie, Mikhaïl Sergueïevitch.

Gorbatchev. – Camarades, les propos du camarade Eltsine me paraissent très graves. Je ne tiens pas à lancer un débat, mais il faut bien discuter de ce qui vient d'être dit.

« Je reprendrai les grands points de cette déclaration. Premièrement : le camarade Eltsine a indiqué qu'il importait de dynamiser considérablement l'action du parti, à commencer par celle du Comité central et, concrètement, de son Secrétariat. Des remarques à ce sujet ont été directement adressées à Egor Kouzmitch Ligatchev.

« Deuxièmement : on a posé la question des cadences de la perestroïka. On a affirmé que les délais avaient été fixés à deux ou trois ans et que c'était une erreur. Cela désoriente les gens, crée encore plus de confusion au sein de la société et du parti. Les conséquences pourraient en être fatales.

« Troisièmcment : nous tirons les leçons, mais insuffisamment selon l'avis du camarade Eltsine, dans la mesure où nous n'avons mis au point, au niveau du Comité central et du Politburo, aucun mécanisme permettant d'éviter de répéter nos erreurs à l'avenir.

« Enfin, le camarade Eltsine considère qu'il ne peut plus travailler au sein du Politburo. Par ailleurs, il estime que le problème de ses activités en qualité de premier secrétaire du comité de ville relève, non du Comité central, mais du comité municipal.

« Nous avons là un phénomène nouveau. L'organisation du parti de Moscou prendrait-elle son indépendance? Ou le camarade Eltsine entend-il demeurer premier secrétaire du comité de ville, en abandonnant ses fonctions au sein du Politburo? Ne peut-on y voir une sorte de déclaration de guerre au Comité central? C'est ainsi que je le comprends pour ma part, mais il est possible que j'exagère la situation. »

J'interromps un instant le discours de Mikhaïl Sergueïevitch, afin d'attirer l'attention du lecteur sur l'habileté avec laquelle il retourne les choses. Me voilà devenu leader de la lutte du comité de Moscou contre le Comité central. Déjà, on me colle sur le dos une affaire politique, l'esprit, le ton sont donnés. Je bondis aussitôt, proteste, en pure perte.

« Assieds-toi, assieds-toi, Boris Nikolaïevitch. Donc, tu n'as pas envisagé ton départ du comité de ville, estimant qu'il relevait de ce même comité.

« Il me semble que je résume exactement la situation, bien que tu prétendes que je t'ai mal compris, que tu posais aussi ce problème devant le Comité central.

« Ai-je bien, dans les grandes lignes, interprété tes propos, camarade Eltsine?

« A présent, camarades, discutons. Il s'agit, je crois, de questions de principe.

« Alors que nous nous apprêtons à célébrer le soixante-dixième anniversaire d'Octobre, nous devons tirer les leçons de l'incident, pour nous, pour le Comité central, pour le camarade Eltsine lui-même, pour tous.

« Il nous faut élucider ce problème.

« Je vous en prie, camarades. Qui veut la parole?

« Les membres du Comité central connaissent l'action du Politburo, ils apprécient sa politique. A vous de voir quelle attitude adopter dans les circonstances présentes. Je vous invite, sans plus d'insistance, à vous exprimer. Si un membre du Politburo souhaite dire quelque chose, je lui cède volontiers la place. Je vous en prie.

« Camarades, que ceux qui désirent intervenir, lèvent la main. »

La suite fut sans surprise. Rien de commun, pourtant, avec la façon dont je me représentais théoriquement la scène, dont j'imaginais les réponses aux thèses que j'avais formulées et qui les ferait. J'étais convaincu que les orateurs seraient des figures de second plan, et que les gens qui m'étaient proches s'abstiendraient de réagir publiquement... La réalité fut plus dure à supporter et, quand je vis courir à la tribune, les yeux brillants, des gens avec qui j'avais longtemps travaillé, avec lesquels j'entretenais, croyais-je, de bons rapports, je vécus cette scène comme une trahison. Je suis persuadé qu'ils ont honte, aujourd'hui, de relire les insultes qu'ils m'ont lancées. Mais ce qui est dit est dit et ne peut être effacé.

Les interventions se succédèrent, pour la plupart démagogiques, hors de propos et centrées toutes sur un point : mon caractère. Eltsine était comme ceci et comme cela... Les mêmes mots se répétaient, les épithètes, les étiquettes. J'ai du mal à comprendre comment j'ai tenu le coup.

Riabov, avec lequel j'avais tant travaillé à Sverdlovsk, prit la parole. Pourquoi ? Dans l'espoir d'en tirer quelques avantages, sinon pour sa carrière future, du moins pour sa retraite ? Lui aussi se mit à me couvrir de boue... Ce fut extrêmement pénible. Il y eut encore le premier secrétaire du comité de la région de Perm, Konopliev, celui de la région de Tioumen, Bogomiakov, et bien d'autres. Ensemble, pourtant, on en avait vu de rudes, mais chacun ne pensait qu'à soi, chacun espérait gagner des points dans l'histoire. Les interventions de Ryjkov et Iakovlev me furent une surprise : jamais je n'aurais pensé qu'ils pourraient tenir de tels propos. Le Secrétaire général comptait manifestement beaucoup sur leurs déclarations, il n'ignorait pas que j'avais du respect pour eux et qu'il me serait d'autant plus douloureux de les écouter.

Je savais que c'était le début d'un long processus, que je n'étais pas au bout de mes peines, car le plénum n'allait pas immédiatement m'exclure des rangs des membres suppléants du Politburo. Il faudrait attendre le plénum de Moscou où l'on me relèverait d'abord de mes fonctions de premier secrétaire du comité de ville. Ensuite seulement, à un autre plénum, viendrait ma radiation du Politburo. C'est ainsi que cela se passa. Le plénum s'acheva par le vote d'une brève résolution « déclarant mon intervention politiquement erronée ». On proposa également au comité de Moscou de réenvisager la question de mon poste de premier secrétaire. Pourtant, quand on y réfléchit, je n'avais commis aucune faute politique. Tous ceux qui ont lu mon intervention dans le journal peuvent d'ailleurs s'en convaincre.

Lorsqu'on annonça la publication du sténogramme du plénum d'octobre dans le deuxième numéro des *Izvestia* pour 1989, je ne me précipitai pas pour le lire. J'attendis de recevoir le journal à la maison – je suis abonné – et examinai tranquillement mes déclarations. Je fus un peu étonné : il m'avait semblé être plus dur, plus âpre. Mais c'est peut-être une question de temps : la société avait beaucoup progressé, il y avait eu de multiples débats très vifs, la XIXe conférence du parti, la campagne électorale... J'avais, moi, été le premier à critiquer le Secrétaire général, j'avais tenté, non pas en douce mais au forum du parti, de comprendre pourquoi la perestroïka piétinait; c'était, de fait, la première réalisation concrète du pluralisme tant prôné.

Je décidai de ne pas lire les interventions des autres « orateurs ». Cela m'aurait été trop pénible, j'aurais à nouveau éprouvé cet effroyable sentiment d'injustice, de trahison. C'était hors de question.

Une époque difficile, dont j'ai eu du mal à sortir indemne. A force de volonté, je réussis à tenir pendant quelques jours, à ne pas flancher ni me faire hospitaliser tout de suite. Le 7 novembre [1], j'étais sur le mausolée de Lénine, persuadé que je m'y trouvais pour la dernière fois. J'étais surtout triste de n'avoir pu mener à bien nombre de projets conçus pour Moscou, de n'avoir pu résoudre

1. Anniversaire de la Révolution.

nombre de problèmes brûlants. Il me semblait que j'avais secoué l'organisation du parti de la capitale, mais que j'avais manqué de temps. Je me sentais coupable envers le comité, les communistes de la ville, les Moscovites. D'un autre côté, le Politburo n'aurait sans doute pas changé d'attitude à mon égard; or, mes propositions pour améliorer la vie de la cité se heurtaient à un mur, on les ignorait volontairement, et je ne pouvais tolérer que les habitants de Moscou deviennent, en quelque sorte, otages de ma situation. Je n'avais en effet qu'une solution : partir...

Le 7 novembre, eut lieu une scène intéressante. J'étais toujours membre suppléant du Politburo, le plénum du Comité central qui devait prendre la décision de mon renvoi ne s'étant pas encore tenu. Les secrétaires généraux et premiers secrétaires des partis communistes et ouvriers des pays socialistes s'étaient réunis en l'honneur de la révolution d'Octobre. Ils avaient organisé une rencontre au sommet; chacun d'eux avait eu, en outre, quelques entretiens privés avec Gorbatchev. Ils n'avaient sans doute pas manqué de poser la question de ma situation et Gorbatchev avait dû se faire un plaisir de la leur expliquer. J'imagine parfaitement qu'il avait rejeté sur moi toute la faute. Le 7 novembre, nous nous dirigions vers le Mausolée, dans le respect des grades, Gorbatchev en tête, puis les membres du Politburo dans l'ordre alphabétique, les membres suppléants, les secrétaires du Comité central. Les dirigeants des autres pays saluaient d'abord Gorbatchev d'une simple poignée de main. Ensuite, venait notre tour. Fidel Castro se montra. Je fis un pas vers lui et soudain, il me donna la triple accolade en prononçant quelques mots en espagnol. Je ne compris pas, mais sentis qu'il compatissait à mon sort. Je lui serrai la main et le remerciai. Je n'avais pas vraiment le moral au beau fixe. Quelques responsables défilèrent encore, puis Wojciech Jaruzelski me donna, lui aussi, la triple accolade et me dit en russe : « Tiens bon, Boris Nikolaïevitch! » Discrètement, je lui exprimai ma reconnaissance pour la sympathie qu'il me témoignait. Tout cela, sous les yeux de Gorbatchev et de nos autres dirigeants du parti, ce qui eut pour résultat de les rendre encore plus méfiants envers moi. Ils s'arrangeaient pour ne pas avoir à m'adresser la parole, craignant qu'on nous vît discuter ensemble. Pourtant, je suis sûr que certains membres du Politburo me soutenaient à l'époque, peut-être pas complètement, mais quand même... Quelques-uns m'avaient envoyé une carte à l'occasion de la fête de la Révolution. Gorbatchev n'était pas du nombre. Je ne lui avais d'ailleurs pas écrit non plus, me contentant de répondre à ceux qui avaient eu un geste d'amitié. Il y avait incontestablement au Politburo – et il y en a encore aujourd'hui – des gens qui comprenaient ma position et appréciaient, à des degrés divers, mon indépendance d'esprit. Cependant, ils étaient rares.

D'ordinaire, pour les rencontres de ce genre, j'étais chargé de m'occuper d'un secrétaire général ou d'un premier secrétaire en particulier, le plus souvent Fidel Castro. Nous avions toujours été en excellents termes. Cette fois, pourtant, j'étais libre de toute obligation. Je me sentis terriblement mal à l'aise à la réception et me tins résolument à l'écart.

Le 9 novembre, je fus pris d'effroyables maux de tête, mon cœur flanchait et je fus conduit d'urgence à l'hôpital. Visiblement, mon organisme ne supportait plus la tension nerveuse de ces derniers temps. On commença à me bourrer de médicaments, calmants et antidépresseurs. Les médecins m'interdirent de poser le pied par terre et multiplièrent les piqûres. Les nuits, surtout, étaient pénibles : entre trois et cinq heures les maux de tête devenaient intolérables. Ma femme tenta de me rendre visite, mais on ne la laissa pas entrer, prétextant que j'allais trop mal pour être dérangé.

Soudain, au matin du 11 novembre, un appel téléphonique. C'était la ligne du Kremlin, réservée aux dirigeants suprêmes. A l'autre bout du fil, Gorbatchev. On eût dit qu'il m'appelait dans ma villa, et non à l'hôpital. D'un ton très calme, il déclara : « Il faudrait, Boris Nikolaïevitch, que vous fassiez tout de suite un saut chez moi. Peut-être pourrions-nous d'ailleurs, en même temps, réunir le plénum du comité de Moscou. » Je répondis que j'étais alité, que les médecins s'opposaient à ce que je me lève. « Ce n'est rien, répliqua-t-il d'un ton léger, les médecins vous donneront un coup de main. »

Je ne comprendrai jamais qu'on puisse agir ainsi. De toute ma vie professionnelle, je n'ai pas souvenir qu'on ait tiré de l'hôpital un responsable ou un ouvrier, pour le renvoyer de son travail. C'est invraisemblable et, qui plus est, contraire à la législation. Mais sans doute ne concerne-t-elle pas les dirigeants. Quels qu'aient été les griefs de Gorbatchev contre moi, il n'aurait pas dû se conduire de façon aussi inhumaine, immorale... Je n'attendais pas cela de lui. Que craignait-il pour précipiter ainsi les choses? Avait-il peur que je ne change d'avis? Ou considérait-il que, dans l'état où j'étais, il serait plus facile de me régler mon compte au plénum du comité de Moscou? Peut-être voulait-il m'anéantir physiquement?

J'entrepris de me préparer. Dociles, les médecins qui refusaient que je me lève, que je bouge, se mirent soudain à me gorger de médicaments pour mieux m'assommer. J'avais la tête qui tournait, les jambes en coton, je n'arrivais pas à parler, ma langue refusait de m'obéir. Ma femme, me voyant dans cet état, me supplia de ne pas aller au rendez-vous et, n'obtenant rien, se fit même autoritaire. Moi, j'étais comme un robot, je marchais avec difficulté et ne comprenais pas ce qui se passait autour de moi. Dans ce brouillard, je montai dans la voiture qui devait me conduire au Comité central.

A bout de nerfs depuis ma maladie, ma femme ne put se contenir et exprima violemment sa façon de penser au responsable de la neuvième section du K.G.B., Plekhanov.

Elle lui dit que c'était du sadisme : comment osait-il laisser partir un malade qu'il prétendait protéger et que sa lâcheté risquait de tuer?... Que pouvait-il lui répondre? Il n'était qu'un rouage d'un système qui continuait de fonctionner « magnifiquement ». Quand il fallait assurer la protection d'Eltsine, il s'y employait, quand il fallait le conduire quelque part, même malade, ne saisissant rien de ce qui lui arrivait, il obéissait également. Sans doute m'aurait-il, au besoin, tiré de la tombe pour me traîner à Dieu sait quel plénum, si l'ordre lui en avait été donné.

C'est ainsi que je me retrouvai au Politburo, puis, dans le même état, incapable de rien me rappeler, au plénum du comité de Moscou... Tout le gratin du parti y déboula, alors que les membres siégeaient déjà. Les grands chefs s'installèrent en chœur au praesidium, comme au spectacle. Le plénum les regardait, docile, traqué, tel un lapin fasciné par un serpent.

Comment qualifier le fait de tuer un homme à coups de mots? Car cela ressemblait bel et bien à un assassinat. On aurait pu se contenter de me libérer de mes fonctions. Mais non, il fallait s'offrir le plaisir de la trahison, il fallait que des camarades aux côtés desquels j'avais travaillé pendant deux ans, sans la moindre friction, tiennent soudain des propos que j'ai, aujourd'hui encore, du mal à concevoir. Si je n'avais pas été à ce point drogué, je me serais battu, j'aurais réfuté ces mensonges, démontré la bassesse des intervenants. J'en voulais aux médecins qui avaient permis qu'on me traîne jusqu'ici; par ailleurs, ils m'avaient si bien bourré de médicaments que je ne ressentais rien. Peut-être devrais-je leur être reconnaissant de m'avoir ainsi sauvé la vie...

Je songeai souvent, par la suite, à ce plénum, essayant de comprendre ce qui avait poussé les gens à la tribune, pourquoi ils avaient transigé avec leur conscience, obéissant comme un seul homme à l'ordre lancé par le chef de meute : sus à Eltsine!... Car, c'était une meute. Une meute déchaînée, prête à me déchiqueter.

Ils avaient peu de vrais arguments à leur disposition et durent recourir à la démagogie, aux inventions les plus fantastiques, aux mensonges les plus grossiers. D'autres ne se jetèrent sur moi que par peur : puisque c'était la curée, autant y aller, on n'avait pas le choix. D'autres encore étaient mus par un curieux sentiment : enfin, on peut te régler ton compte; jusqu'à présent, tu étais un chef, impossible de te toucher. Mais tu vas voir... L'ensemble formait quelque chose de terrifiant, d'inhumain.

C'est ainsi qu'on me libéra de mes fonctions. En principe, j'en avais moi-même formulé la demande; cependant, on a fait tant de bruit autour, tant de tapage, que j'en ressens aujourd'hui encore les effets. Les documents du plénum ont été intégralement publiés par le journal *Moskovskaïa pravda.* Dès ma nomination au poste de premier secrétaire du comité de ville, j'avais exigé que soit publié le compte rendu complet des différents plénums : le rapport, les interventions, sans la moindre coupure. Une décision à laquelle le Comité central ne se résout toujours pas. Bref, j'étais la victime de ma propre initiative. Je plaisante, bien sûr. Car la vérité, la glasnost ne nuisent jamais. Pour ceux qui n'avaient pas de préjugés, la publication du plénum dans la *Moskovskaïa pravda* fut un coup très dur : la servilité, la peur qui régnaient au sommet du parti, n'y transparaissaient que trop.

Je retournai à l'hôpital. Je parvins à me tirer d'affaire avant le plénum de février. J'avais subi quatre coups très durs en un an. Le plénum se déroula relativement tranquillement; Gorbatchev proposa de me rayer de la liste des membres suppléants du Politburo.

Il fit une prudente allusion à la retraite. Le conseil des médecins me pria aussitôt de considérer la chose. Après avoir consulté ma femme, je répondis qu'on verrait plus tard. J'attendrais de quitter l'hôpital. Je réfléchis sérieusement à la question. Et je conclus que la retraite serait ma mort. Je ne me voyais pas m'installant à la campagne pour cultiver des radis. Je mourrais d'ennui. J'avais besoin de contacts, besoin de travailler, je ne pouvais m'en passer. J'expliquai aux médecins que je refusais.

Quelque temps plus tard, j'eus un nouvel appel téléphonique de Gorbatchev à l'hôpital. Il me proposa le poste de premier vice-président du Gosstroï, avec rang de ministre. Tout, alors, m'était indifférent. J'acceptai, sans hésiter une seconde. C'est là qu'il ajouta qu'il ne me laisserait plus me mêler de politique.

On m'a souvent demandé – et je me suis moi-même posé la question – pourquoi il n'avait pas choisi de se débarrasser complètement de moi. Chez nous, il est aisé de vaincre un adversaire politique. Il aurait pu me mettre autoritairement à la retraite, me nommer ambassadeur au bout du monde. Or, il me garda à Moscou, me donna un poste relativement important, bref, conserva un opposant tout près de lui...

J'ai le sentiment que si Gorbatchev n'avait pas eu un Eltsine, il aurait dû l'inventer. En dépit de son attitude devenue négative à mon égard, il comprenait qu'un homme comme moi, exigeant, mordant, ne laissant pas en repos l'appareil du parti pourri par la bureaucratie, lui était nécessaire, qu'il lui fallait l'avoir à portée de la main. Dans ce spectacle vivant, les rôles étaient parfaitement répartis, comme ceux d'une bonne pièce. Ligatchev était le conservateur, le personnage négatif; Eltsine, le batailleur, avec une tendance au gauchisme; et le héros principal, sage, comprenant tout, Gorbatchev en personne. Je pense qu'il voyait les choses ainsi.

Sans doute craignait-il aussi, en se débarrassant de moi, les réactions de l'opinion publique, devenue puissante. Le Comité central, la rédaction de la *Pravda* et celle de tous les grands journaux et revues du centre, étaient alors submergés de lettres de protestation contre les décisions des plénums. Il fallait en tenir compte un minimum.

Je devais sortir de la crise que je traversais. Autour de

moi, le vide, le désert. C'était étrange. J'avais toujours travaillé avec des gens, j'aimais le contact, la compagnie. Je n'avais pas de goût pour la solitude. Mais lorsqu'une dizaine, une vingtaine de personnes proches, en qui vous avez confiance, vous trahissent, vous éprouvez le curieux sentiment d'être « fini ». Peut-être est-ce une caractéristique de notre époque? Peut-être notre société s'est-elle à ce point durcie, au cours de ces décennies de malheur, que les individus sont désormais incapables de bonté? J'avais le sentiment d'être prisonnier d'un cercle infernal que nul ne se risquait à rompre : on avait peur de me toucher et d'être contaminé. J'étais pareil à un pestiféré, aux yeux de ceux qui tremblaient pour leur sort, qui voulaient plaire au pouvoir, qui soignaient leur carrière, mais aussi des gens normaux qui avaient toujours peur de quelque chose.

Beaucoup s'étaient détournés de moi. Parmi eux, une majorité de « courtisans », qui se disaient mes amis, mes camarades, et n'étaient en réalité que des lèche-bottes. Ils avaient eu besoin de moi, tant que j'étais premier secrétaire du comité de Moscou. Leur amitié s'arrêtait là.

Aux plénums du Comité central ou à d'autres réunions, nos dirigeants me saluaient quand ils ne pouvaient pas faire autrement, avec une sorte de crainte, de prudence, d'un signe de tête, comme pour me laisser entendre que j'existais encore, certes, purement nominalement, mais que politiquement j'étais mort.

J'étais troublé par l'absence de coups de téléphone de gens qui, naguère, appelaient à tout bout de champ et avaient brusquement cessé. Je me demandais bien souvent comment j'aurais agi à leur place. J'étais sûr que je n'aurais jamais abandonné quelqu'un dans le malheur. C'était trop contraire aux sentiments humains les plus élémentaires.

Il est difficile de décrire l'état dans lequel je me trouvais. J'entrepris une véritable lutte avec moi-même. Je me mis à analyser, jour et nuit, le moindre de mes gestes, la moindre de mes paroles, mes principes, ma vision du passé, du présent et de l'avenir, mes rapports avec les gens, y compris mes proches. Je parvenais à dormir trois ou quatre heures et, de nouveau, les pensées affluaient à mon esprit.

C'est dans des moments de ce genre que les gens cherchent un réconfort dans la foi ou dans la boisson. Je ne choisis ni l'une ni l'autre. Je continuais à croire aux hommes, mais uniquement aux vrais amis. J'avais perdu ma confiance naïve.

J'étudiai dans les moindres détails des centaines de personnes, amis, camarades, voisins, collègues. J'examinai aussi mes rapports avec ma famille, mes enfants, mes petits-enfants. Je me demandai à quoi je croyais dans la vie. Et j'en vins à la conclusion qu'à la place du cœur, il ne me restait plus qu'un amas de cendres. Tout avait brûlé, autour de moi et en moi.

Une période atrocement pénible, où je me trouvais aux prises avec moi-même. Je savais que si je perdais la bataille, je perdrais en même temps ma vie entière. Cela expliquait la tension qui était la mienne, cela expliquait que je sois sans forces.

Mes migraines ne cessaient de me tourmenter. Je souffrais presque toutes les nuits. L'ambulance venait souvent, on me faisait une piqûre, la douleur se calmait un peu, puis reprenait. Ma famille, naturellement, me soutenait tant qu'elle pouvait. Naïna restait à mon chevet lors de mes nuits d'insomnie, mes filles Lena et Tania m'aidaient dans la mesure du possible. Les crises étaient terribles, atrocement douloureuses.

J'avais confiance en certains médecins, tels Iouri Alexeïevitch Kouznetsov ou Anatoli Mikhaïlovitch Grigoriev, qui affirmaient que cela passerait : le temps était le seul remède. Impossible de mettre mon esprit en repos. Il fonctionnait à plein régime vingt-quatre heures sur vingt-quatre. J'avais du mal à me contenir et ma famille en faisait parfois les frais. Une fois calmé, je me sentais honteux, malheureux de m'être montré aussi injuste envers les miens. Ils en ont vu, eux aussi, de toutes les couleurs. Ma femme, mes enfants s'efforçaient de m'apaiser, de me distraire. C'est en grande partie à eux que je dois d'avoir survécu à cette période de folie.

La rumeur a couru par la suite que j'aurais songé à me suicider. Je ne sais quelle en a été l'origine, mais il est vrai que ma situation aurait pu me pousser à envisager cette solution de facilité. Pourtant, je n'ai pas un caractère à succomber si aisément au désespoir. Jamais je n'aurais fait ce choix.

Une vie de banni... Pourtant, je n'étais pas sur une île déserte. C'était encore une presqu'île, reliée au continent par un petit sentier. Ce lien, mes amis le constituaient, mes amis fidèles, de nombreux Moscovites, des habitants de Sverdlovsk, de tout le pays. Eux ne s'inquiétaient pas qu'on les soupçonnât d'être en contact avec moi...

Je me mis à faire des promenades. Auparavant, j'avais tant de travail que j'avais oublié combien il était agréable de marcher dans les rues, sans gardes du corps, sans personne, tel un Moscovite ordinaire. Mes seuls moments de joie, peut-être, dans cette période terrible. Des inconnus me saluaient sur le trottoir, dans les magasins, les cinémas, ils me souriaient amicalement. Cela me mettait du baume au cœur, et je me disais : voilà de simples passants, mais il y a en eux plus de noblesse que chez tant de ceux qui se prétendent mes amis ou qui règlent le sort du monde.

J'étais un exclu et on ne manquait pas de me le rappeler à chaque occasion, bien que je fusse ministre, premier vice-président du Gosstroï. A tout bout de champ, on essayait de me faire passer pour un homme sur le déclin. Résoudre des problèmes dans ces conditions était difficile, parfois impossible.

Ce fut un an et demi de cauchemar... Et puis, honnêtement, ce travail ne me convenait pas. Comme toujours, je m'y étais plongé avec ardeur, mais j'étais déjà trop engagé dans la vie politique, la vie du parti. Mes nouvelles fonctions ne me permettaient pas assez de contacts.

La presse occidentale me témoignait un intérêt constant. On me reprochait chacune de mes interviews, sous prétexte que je m'efforçais de ne dire que la vérité. Je ne voulais rien cacher, passer sous silence, quand je rencontrais des journalistes de l'Ouest. Des dizaines d'années durant, on nous avait répété que les journaux occidentaux ne publiaient que des mensonges, qu'ils s'ingéniaient à n'écrire sur nous que des horreurs, des calomnies. Je dois dire que j'ai pu me convaincre de la compétence de ces correspondants de presse, de leur authentique professionnalisme, de leur respect sans faille des règles déontologiques. Je parle, bien sûr, de la presse « sérieuse », bien que je me sois également trouvé confronté à l'autre.

Nos journaux à nous se désintéressaient complètement de moi. Je le prenais assez tranquillement, sachant que les journalistes n'y étaient pour rien. Ils tentaient au contraire de faire passer des articles où l'on disait un mot sur moi, où l'on me consacrait un paragraphe. Cela ne marchait jamais, en dépit de leur insistance; ils n'hésitaient pas, bien souvent, à affronter ouvertement leur rédaction. D'autres articles paraissaient en revanche, hargneux, injustes, tel celui de l'économiste bien connu, Gavriil Kharitonovitch Popov. Depuis, nos relations se sont améliorées, nous travaillons ensemble au Groupe interrégional *.

Mes rapports avec l'intelligentsia étaient tendus. La rumeur s'était répandue, sans doute liée à mon caractère, que j'étais un leader de type stalinien, ce qui est une contrevérité absolue : profondément, viscéralement, je rejette tout ce qui s'est passé durant cette période. Je me rappelle aujourd'hui encore – je n'avais que six ans – la nuit où mon père fut emmené.

Je dois cependant reconnaître que les intellectuels n'ont pas mordu à l'hameçon de l'appareil. En cette période difficile de ma vie, eux m'ont tendu la main. Irina Arkhipova, Ekaterina Cheveliova, Kirill Lavrov, Marc Zakharov, de nombreux écrivains et artistes m'envoyaient des messages de vœux pour les fêtes, des lettres, ils venaient s'entretenir avec moi, m'invitaient au théâtre, au concert. Je me souviens d'un télégramme, comme toujours drôle et sympathique, d'Edouard Ouspenski, l'écrivain pour enfants, auteur de *Tchebourachka*[1]. Ces marques d'amitié m'étaient précieuses.

Au prix de grands efforts, je retrouvais mon empire sur moi-même. Mois après mois, je me rétablissais. Mes maux de tête avaient disparu, mais je dormais toujours aussi mal.

Mes amis de jeunesse se montrèrent fidèles jusqu'au bout ; inquiets, sincères, ils m'ont soutenu sans faillir. Je leur en suis infiniment reconnaissant. Ils continuent, d'ailleurs, de se tracasser pour moi, car je mène un combat constant.

Je reprenais pied peu à peu. Je me jetai dans le travail au Gosstroï. Je fus surpris de constater que je n'avais pas régressé professionnellement : les problèmes liés à la construction et relevant de ma compétence, m'étaient proches, familiers, alors que je craignais d'être dépassé.

Je ne voyais jamais Gorbatchev. Une fois, pourtant, nous nous trouvâmes nez à nez, lors d'une interruption de séance au plénum du Comité central. Il marchait dans le couloir. Je me tenais tout près, il ne pouvait pas m'éviter ou feindre de ne pas me remarquer. Il s'arrêta, se tourna vers moi, s'avança d'un pas : « Bonjour, Boris Nikolaïevitch. » Je résolus de répondre sur le même ton : « Bonjour, Mikhaïl Sergueïevitch. » La suite de notre discussion

1. Personnage de dessin animé très populaire en U.R.S.S.

doit être rattachée à un incident survenu quelques jours à peine avant notre rencontre.

Malgré ma disgrâce et, de fait, mon exil politique, j'avais été invité à rencontrer les élèves de l'École supérieure des Jeunesses communistes *. Cela avait été très difficile à organiser. L'initiative était venue du secrétaire du comité des Jeunesses communistes de l'école, Iouri Raptanov, largement soutenu par les étudiants, pour la plupart communistes, jeunes gens énergiques, mûrs, intelligents.

Le secrétaire du comité était d'abord allé trouver le recteur. Ce dernier avait levé les bras au ciel : « Inviter Eltsine! A quoi songes-tu? » Iouri avait insisté, il s'était adressé au comité du parti. Le secrétaire n'avait pas tout à fait les mêmes opinions, il était plus progressiste, et le comité accepta l'idée. Voyant que tous se prononçaient favorablement et comprenant que s'il maintenait son opposition il lui serait difficile de continuer à travailler, le recteur vota aussi pour. Les étudiants me téléphonèrent et nous prîmes date. La nouvelle se répandit comme une traînée de poudre. J'appris que le premier secrétaire du comité central des Jeunesses communistes, V. Mironenko, s'était rendu par deux fois à l'école pour empêcher la rencontre. Mais les élèves avaient refusé d'obtempérer.

Je ne me faisais pas d'illusions : la discussion serait rude. Je ne me trompais pas. Je prononçai un discours d'introduction, exprimai mon point de vue sur des problèmes politiques, économiques, sociaux, évoquai les processus en cours au sein du parti. Cela ne pouvait qu'animer encore le débat. Je restais fidèle à mon vieux principe : répondre systématiquement aux questions les plus embarrassantes. Et les petits billets affluèrent, âpres, complexes, parfois vexants... Il y eut des questions plus personnelles, sur moi, Gorbatchev, d'autres membres du Politburo ou des secrétaires du Comité central. J'y répondis également. On s'intéressa aux défauts du camarade

Gorbatchev. Là non plus, je n'éludai pas, ce qui, alors, semblait impensable. La rencontre dura près de cinq heures, que je passai à la tribune. L'auditoire réagissait vivement. Des extraits parurent ensuite dans le journal de l'école, un résumé, concis mais plus audacieux que ne le permettait le degré de glasnost atteint, à ce moment, par l'ensemble des médias. Certaines instances, cependant, ne perdirent pas une miette de cet échange.

C'est ainsi qu'au plénum, durant l'interruption de séance, Gorbatchev s'enquit : « Alors, on a rencontré les Jeunesses communistes ? » Je répondis : « Oui, une discussion très animée, intéressante. – Et tu nous y as critiqués, tu nous as reproché de ne pas assez nous occuper des Jeunesses communistes ? – Vos informations ne sont pas vraiment exactes. Je n'ai pas dit que vous ne vous en occupiez pas *assez*, mais que vous vous en occupiez *mal*. »

Il resta figé, incapable de répliquer. Nous fîmes quelques pas de conserve. J'émis l'idée qu'il nous faudrait nous rencontrer, qu'il y avait certains problèmes... Il acquiesça : « Oui, peut-être. » Et ce fut tout. Je considérais, pour ma part, que l'initiative devait venir de lui. Notre conversation s'arrêta là.

En un an et demi, ce fut notre seul entretien. Nous n'eûmes pas d'autre occasion de nous revoir.

Pourtant, je le sentais, la glace était rompue. Ma réclusion tirait à sa fin. Une nouvelle période s'ouvrait, différente, imprévisible. Une période durant laquelle je devais trouver ma voie.

CHAPITRE IX

26 mars 1989

CHRONIQUE DES ÉLECTIONS

Dimanche, dernier jour. Dans la maison règne une légère fièvre, une agitation assez inaccoutumée. J'en subis la contagion. Seules ma femme et mes enfants sont en mesure de remarquer mon état inhabituel. Quelqu'un jette un coup d'œil par la fenêtre et s'aperçoit avec horreur que dans la cour, juste devant l'entrée, attendent déjà les caméras des chaînes de télévision occidentales. En quelques mois, le voisinage des correspondants étrangers est devenu un phénomène aussi banal que la présence de mon état-major de campagne. Ces derniers jours, je ne pouvais faire un pas tranquille, je ne savais où me cacher. Je comprenais, bien sûr, que c'était leur métier, mais j'avoue que cela créait une tension difficile à supporter.

Aujourd'hui, ce sera l'apogée. Ma famille verra, pour la première fois, ce que cela signifie, et sans doute en retirera-t-elle une impression pénible.

Nous nous préparons, nous habillons presque solennellement : les élections sont une fête populaire. Nous sortons. Aussitôt, la meute des journalistes – il n'y a parmi eux presque aucun Soviétique – se jette sur nous. Nous sommes filmés depuis chez nous jusqu'au Palais des pionniers du quartier Frounzé où se trouve le bureau de vote. Je ne saisis pas vraiment pourquoi ils jugent utile de fixer sur la pellicule cette scène « historique ». Toujours est-il qu'ils se démènent, nous photographient sous toutes les coutures.

Près du Palais, nous découvrons un tableau effrayant : une centaine de personnes, munies de caméras, de projecteurs, de flashs, de micros, m'assaillent, me posant des questions, s'interrompant mutuellement, hurlant dans des langues invraisemblables. Je me fraie tant bien que mal un chemin à travers la foule, jette un coup d'œil aux miens : ils tiennent le coup, mais semblent à deux doigts de craquer. Je monte au premier étage, suivi par cette cohorte en délire, signe le registre et l'on me donne un bulletin.

Je m'approche de l'urne, mitraillé par des dizaines d'objectifs. Soudain, je trouve cela comique. Il me revient à l'esprit des milliers de photos semblables, souvenirs d'un passé récent, où notre Guide vieillissant prenait longuement et majestueusement la pose près de l'urne. Il aimait, lui aussi, la fête des élections ! Le lendemain, le cliché paraissait à la une des journaux, avec cette légende : « Le camarade L.I. Brejnev, Secrétaire général du Comité central du P.C.U.S., président du Praesidium du Soviet suprême d'U.R.S.S., au bureau de vote... »

Et lorsque les caméras se braquent sur moi, je sens l'absurdité, le ridicule de la scène, marmonne : « Ça ne va pas, c'est une photo typique de la stagnation », dépose rapidement mon bulletin et me hâte de sortir. Apparemment, personne n'a réussi à me photographier au moment solennel. Les journalistes se ruent derrière moi, emportant l'isoloir sur leur passage. J'ai véritablement pitié de ceux qui tiennent le bureau de vote et voient soudain ce typhon, cet ouragan déferler sur eux. C'est pourquoi je m'empresse de partir, d'entraîner hors du Palais des pionniers la confrérie journalistique en effervescence.

Une demi-heure durant, impossible de forcer l'encerclement. Je réponds aux questions sur les élections, sur mes chances de l'emporter, sur l'avenir, le passé. J'arrive enfin à me libérer et, au pas de charge, fuyant la presse qui nous poursuit, nous nous réfugions, ma famille et moi, chez ma fille aînée qui vit non loin de là. Nous parvenons à retrouver un semblant de calme et à réfléchir à la signification de l'événement. Ce jour décisif tirera le bilan de ma lutte préélectorale, non pas avec mon adversaire, mais avec l'appareil.

Dans chaque bureau de vote ou presque, veillent des hommes qui m'apportent leur soutien désintéressé. Ils sont là pour éviter d'éventuelles machinations, des trucages (mais je n'y crois pas vraiment : nul n'oserait s'y risquer), et pour me tenir au courant des résultats, au moment où seront proclamées les premières estimations.

Les chiffres nous inquiètent, et cela se comprend. Chaque voix est précieuse. Nous avons appris la décision subite de rattacher tous les fonctionnaires soviétiques en poste à l'étranger – vingt-neuf pays différents – à la circonscription de Moscou. Une ultime tentative, sans doute, d'influer sur les résultats. Les voix de l'étranger ne peuvent guère nous être favorables. Il est vraisemblable que l'on votera partout comme l'ambassadeur. Il faut que nous obtenions une nette majorité, pour que les votes de l'étranger ne fassent pas tout basculer.

Les journalistes postés devant l'immeuble de notre fille, comprennent enfin qu'il est absurde d'attendre. Ils se dispersent et nous sortons nous promener dans la ville. Une excursion bien agréable. Des passants nous saluent, nous sourient, nous souhaitent que tout aille bien...

Dans la soirée viennent les premières estimations. Je suis très nettement en tête partout dans Moscou. Personne, semble-t-il, ne peut plus m'empêcher de gagner.

« Boris Nikolaïevitch, vous jouissez d'un très grand crédit dans l'ensemble du pays. Il est étrange que vous ayez été choisi pour représenter la Carélie en tant que délégué à la conférence du parti. Pourquoi pas Moscou? Ou Sverdlovsk? »

« Comment expliquez-vous que Gorbatchev ne vous ait pas soutenu au moment de la conférence? »

« Vous souvenez-vous de Tchikirev[1]*? Qui protégeait-il en faisant son* mea culpa*? »*

*« Ne regrettez-vous pas d'avoir dénoncé le culte de la personnalité dont le secrétaire général est l'objet, avant le soixante-dixième anniversaire d'Octobre plutôt qu'à la XIX*e *conférence du parti? »*

(Extrait des questions posées par les Moscovites au cours de la campagne.)

Tout le monde préparait la XIXe conférence du parti : la direction, l'appareil du Comité central, le parti lui-même, qui en attendait beaucoup, ainsi que la société soviétique. On peut affirmer aujourd'hui que la conférence a certainement donné l'impulsion nécessaire pour que la société

1. Voir p. 250.

évolue. Mais elle n'a pas été le grand moment historique qu'elle aurait dû être. Elle s'est montrée, dans quelques-unes de ses décisions, plus conservatrice que ne l'étaient les citoyens. Ainsi, sa proposition de concilier les fonctions des dirigeants du parti et des soviets, depuis le Secrétaire général jusqu'aux secrétaires de district, fit l'effet d'un coup de tonnerre. Staline ne s'en était pas permis autant... Le peuple protesta vigoureusement, mais la majorité des délégués votèrent docilement la résolution.

On préparait activement la conférence. On procéda avec un soin inhabituel à l'élection des délégués, selon des instructions émanant du Comité central. Razoumov, premier responsable adjoint de la section d'organisation fit merveille dans l'élaboration de cette pseudo-élection. Il avait en mains toutes les cartes concernant les cadres ; le subjectivisme, les sympathies et antipathies, les protections jouèrent à plein.

J'étais alors dans ma période d'exclusion, je travaillais au Gosstroï et les dirigeants du parti, le pouvoir, ne souhaitaient guère me voir revenir à la vie politique. Je me sentais pourtant l'énergie, le désir de tout recommencer, et mes principes m'interdisaient de quitter tranquillement l'arène sans combattre.

Mon intervention au plénum d'octobre 1987 n'avait pas encore été rendue publique et cette affaire était entourée d'une auréole de mystère.

Les organisations du parti résolurent de proposer ma candidature en tant que délégué. L'appareil avait pour tâche première d'empêcher mon élection. J'étais ministre, j'occupais un poste assez élevé, il ne faisait pas de doute que certains de mes homologues seraient élus. Le temps passait, on votait, mais nulle part il n'était question de moi. Le silence. J'avais, naturellement, une chance réelle que ma candidature ne soit pas retenue. Cependant, dans un premier temps, je ne mesurai pas à quel point le risque était grand. Le parti déploya une invraisemblable énergie et, au bout du compte, je fus le seul ministre à n'être pas élu. Je compris alors combien la situation était grave pour moi.

Je décidai qu'il me fallait absolument être admis à la conférence et y prendre la parole. Mais comment, si l'appareil du parti, véritable magicien, manipulait les élections et parvenait à m'isoler? Je ne savais qu'une chose : jamais je ne prendrais mon téléphone pour réclamer quoi que ce fût à Gorbatchev ou à un membre du Politburo. Jamais je ne me plaindrais à quiconque d'être ainsi mis à l'écart, moi un membre du Comité central. Ce serait malhonnête, inconvenant...

Je ne me cachais pas, cependant, que cette XIXe conférence me donnerait la possibilité d'expliquer aux gens ce qui s'était passé au plénum d'octobre et celle, ultime peut-être, de sortir de mon isolement politique afin de participer à nouveau pleinement à la vie sociale du pays. J'estimais – et je continue à le penser aujourd'hui – que je n'avais commis aucune faute politique dans mon intervention au plénum. Aussi étais-je persuadé qu'il suffirait que je monte à la tribune, que je m'adresse aux délégués, aux communistes d'U.R.S.S., aux gens, pour que tout redevienne normal. Ma non-élection à la conférence serait un coup terrible. Je n'essayais pas même d'imaginer ce que je ferais si elle s'ouvrait sans moi. Quitterais-je Moscou? Suivrais-je la conférence à la télévision? Demanderais-je une invitation à Razoumov?... Je refusais d'envisager la question, ne fût-ce que théoriquement. Je devais être délégué, il n'y avait pas d'autre solution.

Des entreprises de Moscou, de Sverdlovsk, des collectifs d'autres villes, se mobilisèrent en ma faveur. Mais l'appareil était inébranlable. L'histoire tournait parfois à la farce, dans la meilleure tradition de la pire époque de stagnation. Nous en étions pourtant à la troisième année de perestroïka.

Le système était le suivant : les organisations du parti

proposaient de nombreuses candidatures ; la liste en parvenait au comité de district du parti qui effectuait un premier tri ; le comité de ville procédait à une deuxième sélection, et le comité de région ou le Comité central tranchait définitivement. En petit comité, on ne gardait que les candidats qui ne présentaient aucun danger et voteraient convenablement lors de la conférence. Le système fonctionnait magnifiquement : le nom d'Eltsine disparaissait avant même d'atteindre le sommet de la pyramide.

Les Moscovites avaient été nombreux à me soutenir, mais ma candidature s'était évaporée au niveau du comité de ville, ou plus tôt. Beaucoup d'organisations du parti, à Sverdlovsk, s'étaient prononcées pour moi – l'Ouralmach, l'usine électromécanique, l'Ouralkhimmach, l'usine Verkh-Issetski, le Pneumostroïmachina et d'autres grosses entreprises. Sous la pression, le comité de ville décida de me recommander. Une étape était franchie, mais ce n'était pas la dernière : venait ensuite le plénum du comité de région. Les passions se déchaînèrent.

Il fallut que les ouvriers menacent de débrayer pour que, sentant que la tension montait dangereusement et que le plénum était incapable de prendre sa décision, le Comité central fasse marche arrière. Au dernier plénum régional, ou presque, qui se tenait en Carélie, on m'élut pour la conférence. Ceux qui « me voulaient du bien » ne pouvaient admettre que je sois délégué d'une organisation du parti aussi importante que celle de Moscou ou de Sverdlovsk. C'est ainsi qu'*in extremis*, je me retrouvai à Petrozavodsk. Le plénum m'accueillit chaleureusement. Je rendis visite à plusieurs organisations. La région, les gens étaient intéressants, même si, comme partout, il y avait beaucoup de problèmes, économiques, sociaux... Quoi qu'il en soit, j'étais à la XIXe conférence, parmi les treize délégués de Carélie.

Il y eut encore quelques incidents assez piquants. J'ai déjà raconté que durant mon isolement politique, il était interdit d'évoquer mon nom dans la presse. Eltsine n'existait pas. Les journalistes occidentaux, cependant, demandaient à me rencontrer. J'accordai une interview à trois compagnies de télévision américaines, entre autres CBS. Je ne comprends pas en vertu de quoi les Américains crurent bon de transformer au montage une de mes réponses ; toujours est-il qu'il en résulta un effroyable scandale. Lors d'une conférence de presse, Gorbatchev déclara que nous en reparlerions et que, si j'avais oublié la signification de la discipline du parti et mes devoirs en tant que membre du Comité central (ce que j'étais encore), on se chargerait de me les rappeler, ou quelque chose d'approchant.

Il y eut une autre situation désagréable pour moi : juste avant la XIXe conférence, je reçus un jour un coup de fil d'un chroniqueur d'*Ogoniok*, Alexandre Radov, qui me proposait un grand entretien pour son magazine. J'étais heureux qu'une des publications les plus populaires du pays – je lis moi-même chaque numéro de la première à la dernière ligne – accepte de tenter le coup, mais je refusai : « Nous allons longuement bavarder, expliquai-je au journaliste, vous préparerez votre texte, puis nous le reverrons soigneusement et, au bout du compte, cela ne passera pas. » Radov insista : *Ogoniok* était un journal puissant, il ne demanderait l'autorisation de personne, le rédacteur en chef, V. Korotitch, prenait sur lui la responsabilité des documents les plus brûlants. Il finit par vaincre ma résistance. J'acceptai. Cela nous donna effectivement beaucoup de travail. C'était ma première intervention dans la presse soviétique depuis le plénum d'octobre, je m'y attaquai sérieusement. Quand tout fut prêt, Radov vint me trouver, découragé, pour m'annoncer – naturellement – que le dossier ne paraîtrait pas. Korotitch avait décidé de montrer l'interview au Comité central qui avait interdit la publication.

Je ne m'en étonnai pas outre mesure, mais j'en fus tout

de même affecté. Il est très éprouvant, psychologiquement, d'être muet dans son propre pays, de ne pouvoir communiquer que par le biais des médias étrangers. Et je fus stupéfait quand V. Korotitch se mit à expliquer, dans ses interviews, qu'il n'avait pas publié notre entretien parce qu'il n'était pas très bon, que je ne répondais pas aux questions qui intéressaient sa revue; en particulier, je parlais peu de mon nouveau travail... Bref, cela ne pouvait paraître en l'état. En un mot, Korotitch assumait toute la responsabilité : il couvrait la direction du Comité central. Dans quel but? Ne comprenait-il pas qu'il était immoral de refuser la parole à un homme, sous prétexte qu'il pensait différemment, fût-ce du Secrétaire général? Qui, sinon un journaliste, pouvait défendre les grands principes de la liberté de parole? Il avait préféré se livrer à des acrobaties, inventer n'importe quoi, plutôt que de dire la vérité. Au pire, s'il avait tellement peur, il aurait dû se taire. C'eût été plus honnête.

C'est dans cette atmosphère tendue, nerveuse, que j'ai vécu la période précédant la conférence. Chaque jour apportait son lot de nouvelles, peu réjouissantes le plus souvent. J'avais oublié ce qu'était une bonne nouvelle.

La XIXe conférence du parti s'ouvrit au Palais des Congrès du Kremlin. Je me rendis, angoissé, à la première séance. Après tant de rumeurs, après cette longue « conspiration du silence », je faisais ma réapparition publique et savais qu'elle serait diversement accueillie. Il y avait beaucoup de curieux qui voulaient simplement voir de quoi j'avais l'air; ces regards étaient harassants, j'avais le sentiment d'être un éléphant au zoo... Des gens que je connaissais depuis des années détournaient en revanche peureusement les yeux, craignant sans doute d'être « contaminés ». J'étais mal à l'aise, traqué et, aux interruptions de séance, je m'arrangeais pour ne pas bouger de mon siège. Certains participants, bien sûr, venaient tranquillement me trouver, ils s'enquéraient de ma santé, me soutenaient d'un mot, d'un sourire, d'un regard.

La délégation de Carélie avait été placée tout en haut, au balcon – il y avait à peine deux mètres entre nos têtes et le plafond – et l'on distinguait mal le praesidium. Les orateurs se succédaient. Il y eut des interventions intéressantes, courageuses; la plupart, cependant, étaient artificielles, un ramassis de clichés, passés au moule de l'appareil.

La conférence permit pourtant de franchir un grand pas. Pour la première fois peut-être, plusieurs résolutions ne furent pas adoptées à l'unanimité. J'avais préparé une intervention assez musclée : je voulais soulever la question de ma réhabilitation politique.

Par la suite, dans l'avalanche de lettres de soutien que j'allais recevoir, beaucoup me reprochèrent d'avoir choisi à cet effet la conférence du parti. « Vous ne saviez donc pas, m'écrivait-on, comment la majorité des délégués avaient été élus? Pouvait-on demander quelque chose à ces gens? » « Dans *le Maître et Marguerite* de Boulgakov, rappelait un ingénieur, de Leningrad me semble-t-il, Woland ne disait-il pas : " Ne demandez jamais rien à personne "? Vous avez oublié cette règle d'or. »

J'estime néanmoins avoir eu raison de poser le problème devant les délégués. Il était important que j'affirme ma position et déclare à haute voix que la résolution du plénum d'octobre, jugeant mon intervention « politiquement erronée », constituait elle-même une erreur politique et devait être abrogée. Je ne me faisais guère d'illusions, mais j'espérais un peu, malgré tout, parvenir à mes fins.

Finalement, j'ai eu droit à une authentique réhabilitation populaire. Aux élections, 90 % des Moscovites ont voté pour moi, et rien ne m'est plus précieux que cette véritable reconnaissance... Que la résolution soit supprimée ou non n'a plus d'importance, sinon pour Gorbatchev lui-même et le Comité central.

Mais j'anticipe. Il me fallait d'abord réussir à m'exprimer. Je savais que tout serait mis en œuvre pour m'empêcher d'accéder à la tribune. Ceux qui avaient préparé la conférence du parti se doutaient bien que mon intervention serait très critique et ils n'avaient pas envie d'entendre mes remarques.

La suite fut sans surprise. Un jour passa, puis deux, trois, quatre. Vint le jour de clôture. On annonça que trois orateurs prendraient la parole le matin – on donna leurs noms – et qu'après le déjeuner on passerait à l'adoption de la résolution. Je me demandais comment sortir de cette situation. La liste des orateurs potentiels était longue, il n'était pas difficile d'y puiser des noms, rien que pour me priver de parole. J'envoyai un billet. Il resta sans réponse. J'en envoyai un second sans plus de succès. Je décidai alors de prendre la tribune d'assaut, surtout quand le président déclara, quelque quarante minutes avant l'interruption de séance, que l'on examinerait l'après-midi les projets de résolution. Mon nom n'était pas sur la liste, je devais tenter une action désespérée. Je me tournai vers la délégation de Carélie : « Camarades, je n'ai plus qu'une solution : assiéger la tribune. » Ils m'approuvèrent. Je descendis l'interminable escalier jusqu'aux portes qui y menaient et priai les tchékistes [1] qui y étaient postés, de me livrer le passage. Les collaborateurs du K.G.B. me voyaient en général d'un assez bon œil; ils ouvrirent tout grand les deux battants. J'exhibai mon mandat rouge de délégué, le brandis au-dessus de ma tête et, d'un pas ferme, marchai droit sur le praesidium.

Quand j'arrivai à la moitié de l'immense allée du Palais des Congrès, la salle comprit. Le praesidium aussi. L'orateur, délégué du Tadjikistan me semble-t-il, se tut subitement. Un silence de mort tomba, terrible. Et, dans ce silence, brandissant toujours mon mandat, je continuai à avancer, regardant Gorbatchev bien dans les yeux. Chacun de mes pas résonnait douloureusement en moi. Je sentais que l'auditoire – plus de cinq mille personnes – avait

1. Désignation encore très courante des hommes du K.G.B.

le souffle court. De tous côtés, les regards étaient braqués sur moi. J'atteignis le praesidium, grimpai les trois marches, m'approchai de Gorbatchev et, mon mandat à la main, déclarai sans ciller, d'un ton ferme : « J'exige qu'on me donne la parole. Ou, au moins, que vous mettiez ma demande aux voix. » Il fut un instant désemparé. Je ne bougeai pas. Il dit alors : « Asseyez-vous au premier rang. » J'obtempérai. J'étais tout près de la tribune. Je vis les membres du Politburo tenir un conciliabule, puis Gorbatchev appela le responsable de la section générale du Comité central; ils chuchotèrent, l'autre s'éloigna, puis dépêcha auprès de moi un de ses collaborateurs : « Boris Nikolaïevitch, on vous demande dans la pièce réservée au praesidium, on voudrait bavarder avec vous. – Qui veut bavarder avec moi? – Je ne sais pas. – Désolé, cela ne me convient pas. Je reste ici. » Il se retira. Le responsable de la section se remit à chuchoter avec le praesidium. On s'agita encore. L'émissaire s'avança de nouveau et m'annonça qu'un dirigeant avait l'intention de me parler.

Je comprenais que je ne devais pas quitter la salle. Si je sortais, les portes ne se rouvriraient pas une deuxième fois. Je répondis : « J'irai s'il le faut, mais je veux d'abord voir qui se lèvera du praesidium pour venir me parler. » Je longeai lentement l'allée, tandis que des gens me murmuraient, aux premiers rangs : « Non, ne sortez pas. » A trois ou quatre mètres de la porte, je m'arrêtai, fixai le praesidium. Un groupe de journalistes s'était posté à mes côtés. Eux aussi me disaient : « Boris Nikolaïevitch, ne quittez pas la salle! » Je n'avais pas besoin de leurs conseils pour le savoir. Personne, au praesidium, ne faisait mine de bouger. L'émissaire revint : Mikhaïl Sergueïevitch avait décidé de me donner la parole, mais je devais rejoindre la délégation de Carélie. Je compris que le temps que je regagne ma place, on bâclerait les débats et on ne me laisserait pas parler. Je répliquai que j'avais l'autorisation de ma délégation et que je retournais au premier rang : je m'y plaisais. Je fis brutalement marche arrière et m'assis sous le nez de Gorbatchev.

Avait-il vraiment l'intention de me laisser m'exprimer ou avait-il conclu qu'il serait perdant en mettant la question au vote, que la salle se prononcerait en ma faveur? C'est difficile à dire. Toujours est-il qu'il annonça mon intervention, ajoutant que l'adoption des résolutions s'effectuerait après la pause du déjeuner.

Je réfléchis ensuite aux diverses tournures qu'aurait pu prendre l'incident : et si les tchékistes ne m'avaient pas ouvert la porte? Si le praesidium était parvenu à me convaincre de quitter la salle? Si Gorbatchev, par sa pression, son autorité, avait pu persuader l'assemblée d'interrompre les débats? Curieusement, j'avais la certitude que je serais, malgré tout, intervenu. J'en aurais peut-être appelé aux délégués de la conférence et ils m'auraient donné la parole. Même ceux qui ne m'appréciaient guère, me trouvaient suspect, me jugeaient mal, auraient permis que je m'exprime, désireux de savoir ce que je dirais. Je ne me trompais pas sur l'atmosphère qui régnait dans la salle.

Je montai à la tribune. Un silence s'établit, presque oppressant. Je commençai mon intervention. Mais voyons ce qu'en dit le sténogramme de la conférence :

« Camarades délégués! Je dois d'abord répondre à une série de questions, ainsi que l'a exigé le camarade délégué Zagaïnov dans son discours.

« Première question : pourquoi ai-je accordé des interviews aux compagnies de télévision étrangères et non à la presse soviétique? J'ai d'abord reçu une demande de l'agence de presse Novosti à laquelle j'ai accédé, bien avant d'être en contact avec les télévisions étrangères. Cet entretien, cependant, n'a jamais paru dans les *Nouvelles de Moscou*.

« L'agence est ensuite revenue à la charge, mais trop tard; par ailleurs, je n'avais aucune garantie d'être publié. Auparavant, *Ogoniok* avait également voulu m'interviewer. La rencontre avait duré deux heures et l'entretien n'était pas paru. C'était il y a un mois et demi. Aux dires du camarade Korotitch, l'autorisation en avait été refusée.

« Question suivante : pourquoi ai-je été si “ confus ” au plénum du comité de Moscou ? J'étais gravement malade, cloué au lit, il m'avait été interdit de me lever. Une heure et demie avant le plénum, j'y fus convoqué et les médecins me bourrèrent de médicaments. J'étais présent à la réunion, mais je ne pouvais pratiquement pas parler.

« Continuons. J'ai reçu une lettre du Gostéléradio [1] m'expliquant qu'ils étaient chargés, à l'occasion de la conférence, de coordonner les interviews accordées par nos dirigeants aux télévisions étrangères, et me priant d'en accepter une série.

« Il y avait alors une quinzaine de demandes. J'informai le premier vice-président du Gostéléradio, le camarade Kravtchenko, que je n'aurais pas le temps d'en accepter plus de deux ou trois. Je reçus un télégramme téléphoné : trois compagnies avaient été retenues, la B.B.C., la C.B.S., l'A.B.C. Je fixai un rendez-vous à mon bureau et l'entretien eut lieu. Je répondais immédiatement aux questions. Quand ces dernières me semblaient incorrectes, quand elles risquaient d'être préjudiciables à notre État, notre parti, leur prestige, je les rejetais sans ambiguïté.

« On m'interrogea sur le camarade Ligatchev. J'expliquai que je partageais son point de vue sur le plan stratégique, les décisions du Congrès, les tâches de la perestroïka... Que nos divergences portaient sur la tactique de la perestroïka, les questions de justice sociale, les méthodes de travail. Je n'entrai pas dans les détails. Il y eut aussi cette question : “ Pensez-vous que s'il y avait un autre homme à la place du camarade Ligatchev, la perestroïka avancerait plus rapidement ? ” Je répondis que oui. Mes propos ayant été déformés, la C.B.S. devait, par la

1. Radio et télévision d'État.

suite, diffuser mon démenti et m'envoyer une lettre d'excuses, signée de son vice-président.

« Je fus convoqué par le camarade Solomentsev qui exigea des explications. Je protestai vivement contre cette convocation, mais n'éludai aucune question concernant cette interview. On chercha en vain dans les statuts du parti une faute à me coller sur le dos. J'estime, d'ailleurs, que je ne suis coupable de rien. Une copie du film fut transmise par notre interprète au camarade Solomentsev. J'ignore ce qui m'attend désormais, mais je trouve que cela évoque terriblement l'ombre du passé très récent.

« Venons-en à présent à mon intervention proprement dite.

« Camarades délégués! La grande question de la conférence était, à l'origine, la démocratisation du parti, ce dernier ayant, au fil des années, évolué dans un sens qui n'était pas le meilleur. Nous devions également examiner les problèmes les plus brûlants de la perestroïka et du renouveau révolutionnaire de la société. La préparation de la conférence a suscité un extraordinaire intérêt, l'espoir des communistes et de tous les Soviétiques. La perestroïka a secoué les gens. Manifestement, il eût fallu qu'elle commence par le parti. Celui-ci aurait alors entraîné derrière lui tout le reste. Or, le parti est à la remorque. J'en conclus que cette conférence aurait dû se tenir bien plus tôt. Ce point de vue n'engage que moi.

« Je considère, en outre, que la préparation a été trop hâtive. Les thèses n'ont été publiées qu'au dernier moment et élaborées par l'appareil du Comité central. L'essentiel de ce que contenait le rapport sur le système politique n'y est pas mentionné. La plupart des membres du Comité central n'ont pas participé à la mise au point des thèses. Il sera impossible de prendre en compte, dans nos décisions, toutes les propositions évoquées, toute la richesse de la sagesse populaire.

« L'élection des délégués, en dépit des assurances données par le camarade Razoumov à la *Pravda* quant à son caractère démocratique, s'est déroulée, dans nombre d'organisations, selon les vieilles habitudes et a prouvé, s'il en était besoin, que l'appareil était loin, au sommet, de faire sa perestroïka.

« Les débats, en revanche, sont pleins d'enseignement. Reste à savoir quelles décisions seront prises, ce qui est le plus important. Satisferont-elles les communistes du pays, la société dans son ensemble? La journée d'ouverture a laissé une impression de prudence assez pénible. Mais de jour en jour, le ton s'est fait plus passionné, il est devenu de plus en plus intéressant d'écouter les délégués. Cela ne peut que se refléter sur les décisions adoptées.

« J'aimerais formuler quelques remarques et propositions concernant les thèses du Comité central, en prenant en considération le discours prononcé par le camarade Gorbatchev.

« A propos du système politique : j'estime indispensable de mettre en action, au sein du parti et de la société, un mécanisme qui exclurait des erreurs semblables à celles qui, dans le passé, ont retardé le pays de plusieurs décennies; un mécanisme qui empêcherait l'apparition de " Guides " tout-puissants et du culte de la personnalité, instaurerait un authentique pouvoir populaire et donnerait sur ce point des garanties très fermes.

« La proposition, contenue dans le rapport, de faire coïncider les fonctions des premiers secrétaires des comités du parti et des organes des soviets, était si inattendue pour les délégués, qu'un ouvrier a déclaré, au cours de son intervention que " pour l'instant, cela lui était incompréhensible ". J'ajouterai, en tant que ministre, que je n'y comprends rien non plus. Il faut du temps si l'on veut en saisir toute la portée. C'est un problème complexe. Je suggère qu'on organise sur le sujet un référendum populaire *(applaudissements)*.

« Venons-en aux élections : nous devons recourir au suffrage universel, direct, à bulletin secret, y compris quand nous votons pour élire les secrétaires et le Secrétaire général du Comité central, choisis, du haut en bas de l'échelle, parmi les membres des bureaux régionaux ou du Politburo élus de la même façon (en quelque sorte, des élections à deux tours). Il doit en aller pareillement pour le Soviet suprême, les syndicats, les Jeunesses communistes. Il convient, sans la moindre exception, de limiter les fonctions à deux mandats, le second n'étant attribué qu'au vu des résultats réels. Une limite très stricte doit également être fixée, dans ces organes, Politburo compris, en ce qui concerne l'âge : soixante-cinq ans maximum.

« Notre parti, la société dans son ensemble sont suffisamment mûrs pour qu'on les laisse décider dans ces différents domaines. La perestroïka ne peut qu'y gagner.

« Ce qui vient d'être dit – et non le bipartisme que proposent certains – devrait être une garantie contre le culte de la personnalité qui ne met pas dix ou quinze ans à se former, mais apparaît dès qu'il rencontre un terrain favorable. Il me semble que nous devons tout faire pour l'éviter, le rejet des principes léninistes dans les années passées ayant causé au peuple assez de malheurs. Les statuts, la loi doivent prévoir des obstacles incontournables.

« Nombre de pays sont ainsi organisés : quand un leader s'en va, toute la direction change. Nous avons, nous, pris l'habitude d'accuser systématiquement les morts des maux dont nous sommes affligés. Il est exclu, dans ces conditions, qu'on nous rende la monnaie de notre pièce. Aujourd'hui, la situation est la suivante : Brejnev est seul responsable de la stagnation. Que faisaient donc ceux qui, dix, quinze, vingt ans durant, siégeaient au Politburo, ou y sont encore à présent? Chaque fois, ils votaient pour des programmes différents. Pourquoi restaient-ils muets quand un seul décidait, sur proposition de l'appareil du Comité central, des destinées du parti, du pays, du socialisme? Ils continuaient d'être d'accord, tant et si bien que notre grand leader a fini par décrocher sa cinquième étoile et la société par se retrouver plongée dans une crise profonde. Pourquoi ont-ils choisi ensuite d'élire Tchernenko, malade? Pourquoi la Commission de contrôle du parti, qui punit des déviations relativement sans gravité, se refuse-t-elle à faire comparaître des dirigeants de république ou de région, afin qu'ils s'expliquent sur les pots-de-vin qu'ils ont acceptés, les pertes immenses qu'ils ont causées à l'État, et bien d'autres choses encore? Or, la Commission ne peut ignorer nombre de ces exactions. Je dois dire que ce libéralisme du camarade Solomentsev à l'égard de la corruption, est assez inquiétant.

« Je considère que quelques membres du Politburo, responsables en ce qu'ils appartiennent à un organe collectif et sont investis de la confiance du Comité central et du parti, doivent répondre à cette question : pourquoi le pays et le parti se trouvent-ils dans l'état qui est actuellement le leur? Puis il faut en tirer les conclusions qui s'imposent : les exclure du Politburo *(applaudissements).* Ce serait plus humain que de les exhumer après leur mort pour les dénoncer!

« Je propose l'organisation suivante : dès que change le Secrétaire général, on procède au renouvellement du Politburo, à l'exception de ceux qui viennent d'y entrer; on revoit également l'essentiel de l'appareil du Comité central. Alors seulement, les gens n'auront plus l'impression d'être constamment prisonniers d'un piège administratif. Alors on ne critiquera plus les dirigeants après leur mort : chacun saura qu'il aura à répondre devant le parti, qu'il ait été désigné ou élu à ses fonctions.

« Encore un point : le Secrétaire général a déclaré très nettement qu'il n'y avait plus chez nous, actuellement, de domaines ou de personnes échappant à la critique. La réalité est très différente. Il existe une limite au-delà de laquelle si vous émettez la moindre réserve, vous recevez aussitôt cette mise en garde : " Pas touche! " Le résultat est que les membres du Comité central eux-mêmes craignent d'exprimer leur opinion, lorsqu'elle ne correspond pas au rapport officiel, craignent de se prononcer en ce qui concerne la direction.

« Cela est particulièrement néfaste, cela pervertit la conscience du parti et la personnalité, et incite à voter en faveur de la moindre proposition. Cette conférence est peut-être la première exception à ce qui constitue déjà une règle. Pour le moment, la politique menée par les organes dirigeants reste inaccessible à la critique, échappe au contrôle des masses populaires.

« Il importe d'adopter la suggestion, contenue dans le rapport, de créer des commissions spécialisées, formées de membres du Comité central, sans l'accord desquelles aucune résolution ne pourrait être prise. Car, aujourd'hui, les décisions sont moins l'œuvre du Comité que de son appareil, et nombre d'entre elles tournent rapidement court. Il est essentiel, aussi, que les problèmes importants soient soumis à l'appréciation de l'ensemble du parti et du pays. La pratique du référendum serait tout indiquée. Il conviendrait, par ailleurs, d'exclure les résolutions conjointes du Comité central et du Conseil des ministres d'U.R.S.S.

« Nous sommes fiers du socialisme et de ce qui, d'ores et déjà, a été réalisé. Mais il n'y a pas de quoi pavoiser. En soixante-dix ans, nous n'avons pas été capables de trouver une solution à nombre de points fondamentaux : nourrir et vêtir le peuple, garantir un éventail de services, résoudre les problèmes sociaux. La perestroïka de la société s'effectue dans ce sens ; elle se voit, cependant, terriblement freinée, ce qui tend à prouver que chacun de nous ne se bat ni n'œuvre suffisamment pour elle. Les difficultés qu'elle rencontre viennent aussi de ce qu'elle a été lancée sans que soit effectuée une véritable analyse des causes de la stagnation, de l'état actuel de la société, des erreurs et présupposés du parti, au cours de son histoire. Le résultat est que la perestroïka, en trois ans, n'a résolu aucun problème concret, et encore moins réussi des transformations révolutionnaires.

« En appliquant la perestroïka, il importe, non de se fixer un délai jusqu'en l'an 2000 (beaucoup se moquent bien, aujourd'hui, de savoir ce qu'ils auront alors), mais de se donner, tous les deux ou trois ans – et de s'y tenir – une ou deux tâches à effectuer, pour le bien du peuple, et, évitant la dispersion, de concentrer dans ce but les moyens dont nous disposons : ressources, science, énergie humaine. Alors, convaincus que la perestroïka suit son cours, qu'elle fonctionne, qu'elle est irréversible, les gens trouveront plus vite des solutions aux autres problèmes. Aujourd'hui, la foi des masses populaires peut vaciller à tout moment. Jusqu'à présent, nos concitoyens étaient fascinés par les mots, ce qui nous a sauvés. A l'avenir, nous risquons, en continuant sur notre lancée, de perdre la direction des affaires et notre stabilité politique.

« Reste le problème de l'ouverture au sein du parti. Le pluralisme des opinions doit y devenir un phénomène ordinaire (nous ne voulons pas d'un nivellement !). L'existence d'une minorité d'avis différents ne saurait détruire l'unité du parti ; au contraire, elle la renforcera. Le parti œuvre pour le peuple ; le peuple doit savoir tout ce qu'il fait pour lui. Nous n'en sommes malheureusement pas là. Il faudrait pouvoir disposer de comptes rendus détaillés du Politburo et du Secrétariat, excepté pour les questions relevant du secret d'État. Les gens doivent connaître la vie des dirigeants, leurs activités, leurs revenus, les résultats qu'ils obtiennent chacun dans leur domaine. Cela implique des interventions régulières à la télévision, l'annonce des adhésions au parti, un résumé des lettres adressées par les travailleurs au Comité central. Pour la santé morale des dirigeants du parti et de l'État, il est essentiel que ces données soient accessibles à chaque individu, et non secrètes comme aujourd'hui.

« Il existe des thèmes “ interdits ”, “ tabous ”, tels que la question du budget du parti. Les statuts indiquent que les dépenses relèvent du Comité central, et non de l'appareil de ce même Comité. Or, ces problèmes ne sont jamais débattus en plénum. De sorte que les membres du Comité central, et je ne parle pas des autres communistes, ignorent où passe l'argent du parti (qui représente pourtant des centaines de millions de roubles). La Commission de Contrôle n'en souffle mot au congrès, sans doute ne la laisse-t-on pas accéder aux caisses.

« Je sais, pour ma part, combien de millions de roubles sont versés au Comité central par les organisations du parti de Moscou et de Sverdlovsk. Mais j'ignore à quoi ils sont employés. Je vois seulement qu'en dehors de dépenses pleinement justifiées, on construit de luxueux hôtels particuliers, des datchas, des maisons de repos d'une telle classe qu'on se sent gêné lorsqu'y viennent des représentants de partis frères. On ferait mieux, avec cet argent, d'aider matériellement les organisations de base, ne serait-ce que dans la rétribution de leurs dirigeants. Comment s'étonner, ensuite, que des responsables haut placés cèdent à la corruption, acceptent les pots-de-vin, les passe-droits, et perdent toute notion d'honnêteté, de pureté morale, de modestie, de camaraderie de parti ?

« La décomposition des couches supérieures, durant la période Brejnev, a gagné nombre de régions. Il s'agit d'un phénomène qu'on ne peut minimiser ni simplifier. Le pourrissement est, manifestement, plus profond qu'on ne le croit parfois, et la mafia – je le sais par mon expérience de Moscou – existe bel et bien.

« Abordons à présent les questions de justice sociale. Elles sont, naturellement, en gros résolues, sur la base des principes socialistes. Mais quelques-unes restent en suspens, qui suscitent l'indignation des gens, diminuent l'autorité du parti, ont une influence déplorable sur les cadences de la perestroïka.

« Je considère, personnellement, que si un manque apparaît dans la société socialiste, il doit être ressenti par tous également, sans exception *(applaudissements)*. Il est nécessaire de rétribuer les gens différemment selon le travail fourni. Il faut en finir avec les " rations " attribuées à la nomenklatura soi-disant " démunie ", empêcher l'existence d'une élite privilégiée, rayer du lexique le mot " spécial ", car il n'y a pas de communistes " spéciaux ".

« Il me semble que cela favoriserait énormément le travail des membres du parti auprès du peuple, que cela aiderait la perestroïka.

« Passons à la structure et à la réduction de l'appareil du parti. Le mot d'ordre léniniste : " Tout le pouvoir aux soviets ! " ne pourra devenir réalité, tant que l'appareil du parti gardera une telle puissance. Je propose de le réduire de deux ou trois fois dans les comités de régions, de six ou dix fois au Comité central, et de supprimer les sections industrielles *.

« Je voudrais dire un mot sur la jeunesse que les thèses évoquent à peine. Le rapport, lui, en parle beaucoup, et je soutiendrais volontiers la proposition visant à adopter une résolution à ce sujet. C'est à elle, non à nous, que revient le rôle principal dans la rénovation de la société socialiste. Il faut, sans hésiter, lui enseigner à maîtriser les processus en cours à tous les niveaux, lui céder des pans entiers de direction dans tous les domaines.

« Camarades délégués ! Je voudrais enfin aborder une question épineuse : celle de ma réhabilitation politique *(remous dans la salle)*. Si vous estimez, cependant, que le temps manque pour cela, je n'insisterai pas.

« M.S. GORBATCHEV. – Parle, Boris Nikolaïevitch, puisque la salle t'en prie *(applaudissements)*. Je pense, camarades, qu'il convient de lever le secret sur l'affaire Eltsine. Que Boris Nikolaïevitch dise tout ce qu'il jugera utile. Si le besoin s'en fait sentir, nous nous exprimerons ensuite. Boris Nikolaïevitch, à toi !

« B.N. Eltsine. – Camarades délégués ! La réhabilitation au bout de cinquante ans est devenue un phénomène courant et a la vertu d'assainir la société. Mais je demande, pour ma part, à être réhabilité de mon vivant. C'est une question de principe, qui s'inscrit parfaitement dans le cadre du pluralisme socialiste d'opinions, de la liberté de critique, de la tolérance proclamés ici, dans le rapport et les différentes interventions.

« Vous n'ignorez pas que ma prise de parole, à l'occasion du plénum d'octobre, a été jugée " politiquement erronée ". Cependant, les questions que j'y soulevais ont été maintes fois évoquées par la presse et posées par des communistes. Elles ont été abordées, ces derniers jours, du haut de cette tribune, dans le rapport et les discours. J'estime que ma seule erreur a été d'en parler au mauvais moment, à la veille du soixante-dixième anniversaire d'Octobre.

« Nous devons, me semble-t-il, apprendre les règles du débat politique, accepter l'opinion de nos adversaires, comme le faisait V.I. Lénine, ne pas tout de suite les marquer du sceau de l'infâmie, ne pas les taxer d'hérésie.

« Camarades délégués ! Les questions que je soulevais au plénum d'octobre (1987) ont trouvé leur exact reflet dans les interventions à la conférence, ainsi que dans la mienne. Je suis profondément affecté par ce qui s'est passé et prie la conférence d'annuler la décision du plénum à ce sujet. Si vous le jugez possible, vous me réhabiliterez par là même aux yeux des communistes. Ce n'est pas simplement un problème personnel. En accédant à ma demande, vous agirez dans l'esprit de la perestroïka, démocratiquement, et vous la servirez, car les gens n'en auront que plus confiance.

« La rénovation de notre société s'effectue laborieusement. Des progrès, pourtant, se font jour, même modestes. Et la vie elle-même nous commande de suivre cette voie – cette voie seule *(applaudissements).* »

J'en avais terminé. Sans doute mon extrême tension transparaissait-elle, mais j'avais le sentiment de m'être en gros tiré d'affaire, d'avoir maîtrisé mon émotion et de m'être exprimé jusqu'au bout. La réaction de l'auditoire fut positive; on m'applaudit, en tout cas, jusqu'à ce que je quitte la salle pour rejoindre le balcon et la délégation de Carélie. On annonça alors une interruption de séance. Ma délégation me témoigna un chaleureux intérêt, ses membres m'exprimèrent leur soutien, qui d'un sourire, qui d'une poignée de main. J'étais énervé, excité, je sortis dans la rue et fus aussitôt assiégé par des délégués et des journalistes qui m'assaillirent de questions.

Sans rien soupçonner, je regagnai ma place au balcon, après le déjeuner. Les statuts prévoyaient qu'on en vînt à l'adoption des résolutions, qu'on prît les décisions nécessaires. Mais il apparut bientôt que le temps de pause avait été mis à profit pour préparer une contre-attaque, une réponse à mon intervention. On tira à boulets rouges.

Le discours de Ligatchev fut des plus mémorables. Il devait par la suite être repris dans des anecdotes, des chansons, des spectacles, des dessins satiriques... Des corrections durent être apportées dans le sténogramme, afin d'éviter que l'idéologue en chef du pays n'ait l'air trop lamentable. Il eut beau me coller toutes les étiquettes possibles et imaginables, inventer les mensonges les plus fantastiques, cela semblait mesquin, vulgaire, odieux.

J'ai très nettement le sentiment que ses propos marquèrent, dans sa carrière politique, le début de la fin. Le coup qu'il se portait à lui-même était si fracassant qu'il lui enlevait toute chance de se justifier par la suite. Il aurait dû, après la conférence, demander sa mise à la retraite. Mais il n'en avait pas envie. Il n'avait pourtant guère le choix. Que peut-il faire, à présent, lui qui déclenche, chez beaucoup, un rire nerveux, chaque fois qu'il se montre?

Loukine, jeune premier secrétaire du comité du district Proletarski à Moscou, lui succéda à la tribune. Il me couvrit soigneusement de boue, remplissant consciencieusement l'honorable mission que lui avaient confiée ses chefs. Je pensai souvent à lui par la suite, me demandant comment il s'arrangeait avec sa conscience... Puis je me dis qu'il s'en débrouillait sûrement très bien : elle en avait vu d'autres, sa conscience ! Au fur et à mesure que ces jeunes carriéristes grimpent dans l'échelle sociale, ils mentent tellement, commettent tant de méfaits, qu'il vaut mieux ne pas parler de leur moralité...

Tchikirev, lui, était directeur de l'usine Ordjonikidzé. C'est lui qui devait répandre l'histoire du premier secrétaire qui se serait jeté du septième étage à cause de moi. Il fut à l'origine de nombreuses légendes me concernant. J'écoutais cela et j'étais incapable de décider si je rêvais ou si j'avais les yeux ouverts. Je lui avais un jour rendu visite à l'usine. J'y avais passé la journée, en compagnie du ministre Panitchev. Comme chaque fois, j'étais allé à la cantine, dans les vestiaires et, avant de partir, j'avais formulé quelques remarques. Il avait fait mine d'approuver. Et voici qu'il se mettait à débiter des horreurs qu'il m'est impossible de reproduire ici, mentant, déformant les faits. J'étais atterré.

L'intervention de V.A. Volkov, de Sverdlovsk, fut une surprise pour tous. Il se montra très aimable à mon égard, ce qui eut pour effet de gâter un peu le joli scénario de ma mise en pièces. Je ne l'avais jamais rencontré. Impulsifs, sincères, ses propos n'étaient que la réaction normale d'un homme à une criante injustice. Mais au bout de quelques minutes, le premier secrétaire du comité régional du parti, Bobykine, effrayé, envoya ce billet au praesidium :

« *La délégation du comité régional de Sverdlovsk approuve pleinement les décisions du plénum d'octobre (1987) concernant le camarade Eltsine. Le camarade Volkov n'est aucunement fondé à intervenir au nom de ses codélégués. Sa déclaration a été fermement condamnée.*

Pour la délégation, le premier secrétaire du comité régional du parti.

Le plus intéressant est qu'il n'avait pas demandé l'avis de la délégation.

En conclusion, Gorbatchev eut pour moi des mots assez durs. Pas de façon aussi grossière, cependant, ni débridée.

Les délégués près de moi n'osaient pas me regarder. J'étais assis, immobile, observant la tribune du haut du balcon. J'avais l'impression que, d'un instant à l'autre, j'allais perdre conscience... Voyant mon état, des gars de service à l'étage accoururent et m'emmenèrent à l'infirmerie. On me fit une piqûre, afin que je tienne le coup jusqu'à la fin de la conférence. Je regagnai ma place. Outre la souffrance physique, il y avait aussi le tourment moral : je bouillais intérieurement, j'en avais le vertige...

J'eus beaucoup de mal à m'en remettre. Deux nuits de suite, je fus incapable de dormir, angoissé, me demandant sans cesse ce qui se passait, qui avait raison. J'avais le sentiment que c'était fini. On ne me laissait pas m'expliquer et, de toute façon, je m'y refusais. Les débats de la conférence avaient été retransmis par la télévision centrale, dans le pays. Je ne pouvais plus me débarrasser de la boue qu'on avait déversée sur moi. Je sentais que mes adversaires étaient contents : ils m'avaient achevé, ils avaient gagné. Je tombai dans l'apathie. Je ne voulais plus lutter, me justifier je ne voulais rien, juste oublier, être tranquille.

C'est alors que les lettres, les télégrammes commencèrent à affluer au Gosstroï, où je travaillais. Il y en avait des milliers, des sacs entiers, venant des points les plus reculés du pays. Un fantastique soutien populaire. On me proposait du miel, des herbes, de la confiture de framboises, des massages, et bien d'autres choses encore, pour me soigner, pour que je ne sois plus jamais malade. On me conseillait de ne pas prendre trop à cœur les sottises qu'on avait dites sur mon compte, car personne n'y ajoutait foi. On exigeait que je sorte de mon accablement et continue le combat en faveur de la perestroïka.

Que de lettres touchantes, bonnes, chaleureuses je reçus, de gens qui m'étaient complètement inconnus! Je n'en croyais pas mes yeux et me demandais comment c'était possible, pourquoi, en quel honneur...

Je savais bien, pourtant, ce qui me valait ces réactions sincères. Notre peuple, qui avait tant souffert, ne pouvait accepter tranquillement, sans compatir, qu'on humilie un homme. Il s'indignait de l'injustice manifeste, criante, dont j'étais la victime. Il m'envoyait ces lettres lumineuses et, par là même, me tendait la main. Je pouvais m'appuyer sur lui et me relever.

Je pouvais continuer.

CHAPITRE X

27 mars 1989

CHRONIQUE DES ÉLECTIONS

Voilà : le marathon, qui durait depuis des mois, a pris fin. Je ne saurais dire ce qui l'emporte en moi, de la fatigue ou du soulagement.

On vient de me communiquer les chiffres détaillés des élections. 89,6 % des électeurs ont voté pour moi. Bien sûr, ce n'est pas très normal. Dans un pays civilisé, avec des élections vraiment démocratiques, le pourcentage serait inférieur. Mais on a tellement poussé les gens à bout, on a mis tant de zèle à me diffamer, à me faire obstacle, on a raconté tant d'horreurs sur mon compte, que j'aurais pu avoir encore plus de voix.

Une nouvelle formule est actuellement très à la mode : les électeurs n'ont pas voté pour Eltsine, ils se sont prononcés contre l'appareil. On se figure que cela me porte ombrage. Moi, je trouve cela plutôt bien : je n'aurai pas en vain engagé cette lutte écrasante avec la bureaucratie du parti. Si la contestation de l'appareil est associée au nom d'Eltsine, c'est donc que mes interventions au plénum d'octobre et à la XIXe conférence, avaient un sens.

Je ne rêve que de m'arrêter, de marquer le pas, de prendre le temps de regarder en arrière, car la course a été épuisante, harassante. Mais je n'y arrive pas. Déjà, je suis assailli de soucis, de problèmes.

J'ai écrit au président du Conseil, N.I. Ryjkov, pour lui

demander de me libérer de mes fonctions : la loi sur les élections interdit qu'un député du peuple soit également ministre. Je me retrouve, à partir d'aujourd'hui, officiellement au chômage.

On m'a téléphoné de Sverdlovsk pour me féliciter. On m'a dit qu'on avait élu, là-bas, des députés progressistes et que le premier secrétaire du comité régional du parti, Bobykine, avait été battu à plate couture. Il avait pourtant choisi une circonscription rurale éloignée, qu'il croyait docile. Il était seul à s'y présenter, tous ses adversaires potentiels ayant été écartés. Ce qui ne l'a pas empêché d'échouer en beauté.

Le téléphone n'arrête pas de sonner. Je reçois des dizaines, des centaines d'appels. On me complimente, on forme des vœux, on m'embrasse... Nous avons décidé, Naïna et moi, de quitter Moscou pour une quinzaine de jours, de nous terrer au loin.

Je suis vraiment fatigué. J'ai envie de me reposer...

J'ai parfois l'impression d'avoir vécu trois vies. La première, complexe, tendue, ressemblait cependant à celle de n'importe qui : les études, le travail, la famille, l'itinéraire d'un responsable d'industrie, puis d'un dirigeant du parti. Elle a pris fin avec le plénum d'octobre. La deuxième m'a fait connaître l'existence d'un exclu politique : alentour, le désert, le vide. J'étais coupé des gens et luttais pour survivre en tant qu'homme et politicien. Ma troisième vie a commencé le jour des élections qui ont assuré ma victoire en tant que député du peuple. Ce fut une troisième naissance. Moins d'un an a passé depuis et, si les deux premières étapes de ma biographie étaient assez peu connues, la dernière période, marquée par mon action au Congrès des députés, la session du Soviet suprême d'U.R.S.S., la création d'un Groupe interrégional, mon voyage aux États-Unis, les diverses tentatives pour me compromettre, se déroule aux yeux de tous. Il n'y a là ni mystère ni pages blanches.

Ces quelques mois ont cependant concentré tant d'événements qu'il est difficile de ne pas en dire un mot.

Je les évoquerai dans l'ordre.

Après ma victoire fracassante aux élections, le bruit courut, insistant, que je m'apprêtais, au Congrès des députés du peuple, à rivaliser avec Gorbatchev pour le poste de président du Soviet suprême d'U.R.S.S. J'ignore qui a lancé cette rumeur : mes partisans, rendus euphoriques par mon succès ou, au contraire, mes adversaires, effrayés par la réaction si impétueuse des Moscovites ? Toujours est-il qu'elle continuait obstinément de circuler.

Je n'y prêtais guère attention. Je me représentais, de façon très concrète, la situation politique qui s'était créée dans le pays, je mesurais assez exactement le rapport de forces qui s'établirait entre les futures minorité et majorité au Congrès des députés, de sorte que je ne nourrissais ni illusions ni ambitions. Je comprenais, naturellement, que ma présence au Congrès poserait de sérieux problèmes à Gorbatchev et qu'il chercherait à savoir ce que je visais vraiment.

Une semaine environ avant l'ouverture, il me téléphona, me proposant de nous rencontrer, de bavarder. Notre entretien dura près d'une heure. Pour la première fois depuis bien longtemps, nous étions assis face à face. La conversation fut tendue, nerveuse, je lui déversai un certain nombre de choses qui m'étaient restées sur le cœur. Mes problèmes personnels, cependant, n'étaient pas ce qui me préoccupait le plus. Le pays tombait en ruine, voilà le plus terrible. Les intrigues de l'appareil, de la bureaucratie, continuaient de plus belle, la principale consistant à faire en sorte de garder la totalité du pouvoir, de ne pas en céder une miette au Congrès des députés. Je voulais savoir : avec qui êtes-vous, Mikhaïl Sergueïevitch ? Avec le peuple ou avec le système qui a conduit le pays au bord de l'abîme ?

Il me répondait sèchement, durement, et plus nous parlions, plus se dressait entre nous un mur d'incompréhension. Quand il devint clair que le contact ne s'établirait pas, qu'il n'y avait aucune relation de confiance, il adopta un ton plus doux, arrondit les angles et me demanda quels étaient mes projets : à quoi allais-je m'employer, comment voyais-je mon action à venir ? Je répondis sans hésiter que le Congrès serait décisif. Cela ne plut pas à Gorbatchev. Il attendait de moi des garanties et continua à m'interroger : un poste de gestion m'intéresserait-il? Des fonctions au Conseil des ministres? Moi, je n'en démordais pas : le Congrès trancherait. J'avais sûrement raison : il était absurde d'envisager quoi que ce soit de sérieux avant la réunion du Congrès, mais cela irritait Gorbatchev, il voulait connaître mes intentions. Il pensait, manifestement, que je lui cachais quelque chose. J'étais pourtant sincère : je trouvais prématuré de bâtir des plans. Notre entretien s'acheva là-dessus.

Dès le lendemain, de nouvelles rumeurs circulèrent dans Moscou. Où est le poète, le chanteur, qui célébrera dans une ode la rumeur de chez nous? C'est le grand télégraphe d'Union soviétique, elle est plus importante que l'agence Tass. Je me plais à imaginer que quelqu'un en étudie la nature, les mécanismes, la diffusion; on pourrait en tirer un livre fantastique.

Le bruit courait, cette fois, que Gorbatchev avait rencontré Eltsine pour lui proposer le poste de premier adjoint au Premier ministre, mais que celui-ci avait refusé parce qu'il voulait être président du Soviet suprême. Gorbatchev avait alors été contraint de lui céder le poste de premier adjoint au président du Soviet suprême. Eltsine avait encore fait la fine bouche et Gorbatchev avait dû sacrifier le poste de premier secrétaire du comité du parti de Moscou... Eltsine avait accepté.

De tous côtés me parvenaient des propos de ce genre, dans une multitude de variantes. Je ne pouvais qu'admirer la richesse de l'imagination humaine.

Le Congrès s'ouvrit bientôt. Je ne m'y attarderai guère, tous ceux que cela intéresse ayant eu la possibilité d'en suivre les travaux dans les moindres détails. Gorbatchev prit une décision capitale, en acceptant que le déroulement en soit retransmis en direct à la télévision. Ces dix jours, durant lesquels le pays entier ne perdit pas une miette des débats frénétiques, firent plus pour l'éducation politique du peuple que soixante-dix ans et des millions d'heures d'instruction marxiste-léniniste, destinée à l'abrutir. Le jour de la clôture du Congrès, les gens étaient devenus autres. Et, aussi négative que soit notre vision du bilan du Congrès, aussi vifs nos regrets de tant d'occasions manquées, des progrès inaccomplis dans le domaine politique et économique, l'essentiel, cependant, s'est produit : le peuple est presque entièrement sorti de sa léthargie.

J'eus droit, bien sûr, à quelques aventures. Alors qu'on débattait du nombre de députés appelés à devenir membres du Soviet suprême, j'insistai fermement pour que le choix soit alternatif. Au fond, j'espérais, je dois l'avouer, qu'on m'élirait au Soviet. Je gardais, cependant, assez de lucidité pour comprendre qu'étant donné la composition du Congrès, les choses pouvaient se dérouler autrement. La majorité silencieuse et docile qui nous venait d'un passé encore récent, écraserait toute proposition susceptible de déplaire aux dirigeants. C'est ce qui arriva. Les premiers résultats du vote montrèrent à quel point Mikhaïl Sergueïevitch dominait le Congrès. Les élections au Soviet suprême confirmèrent, s'il en était besoin, qu'une majorité en béton armé se mettrait en travers de la route de toute figure un peu trop voyante. Ni Sakharov, ni Tchernitchenko, ni Popov, ni Chmeliov, ni Zaslavskaïa, ni aucun des vrais députés, gens respectables et compétents, ne furent choisis. Ils furent nombreux à ne pas passer la sélection du Congrès. Je restai, moi aussi, sur le carreau. Plus de la moitié des députés avaient voté en ma faveur, mais en nombre de voix je venais après mes collègues. Cela ne m'affecta pas. Je ne cite pas ces faits, aujourd'hui, pour montrer de quel soutien je disposais. Simplement, il n'y avait rien d'autre à espérer. Si les choses s'étaient déroulées différemment, j'en aurais été le premier surpris. Les événements suivaient leur cours normal et j'attendais, avec curiosité, de voir comment Gorbatchev se tirerait de la situation délicate qu'il avait lui-même créée.

Ce fut un beau scandale. Tous comprenaient qu'à cause de moi, on risquait l'explosion. Les Moscovites considérèrent le résultat des élections au Soviet comme un mépris affiché de l'opinion exprimée par des millions de personnes. Dans la soirée, des meetings se réunirent spontanément, on parlait de grève politique...

Mais il arrive toujours un moment, chez nous, où un individu trouve à lui seul une issue aux problèmes les plus insolubles. Ce brave magicien fut, en la circonstance, le député Alexis Kazannik. Il avait été élu au Soviet suprême, et il se désista en ma faveur. Le Congrès dut entériner cette acrobatie et quand les députés levèrent unanimement la main, Gorbatchev ne put masquer son soulagement.

C'est ainsi que j'entrai au Soviet suprême et la question de mon emploi futur tomba d'elle-même. Quelques jours plus tard, je fus élu président de la commission du Soviet, chargée de la construction et de l'architecture, ce qui me permit d'intégrer le praesidium du Soviet suprême.

Je pourrais parler interminablement du Congrès. Il y eut quantité d'incidents dramatiques, passionnants, intenses. Le pays en fut témoin, le monde entier aussi, loin d'être indifférent à ce qui se passe dans un État couvrant un sixième du globe terrestre... Je n'insisterai pas. La vie allait de l'avant.

Une session du Soviet suprême qui dura près de deux mois, l'organisation du comité à la construction et à l'architecture, la confusion la plus totale dans l'accomplissement des fonctions de député, d'obscures recommandations quant au choix d'un adjoint, la dictature de l'appareil du Soviet suprême sur les députés..., bref le bazar traditionnel chez nous. Nous en sommes encore à apprendre. Nous faisons nos premières classes dans la grande école du parlementarisme; il faudra du temps avant que nous en arrivions à l'Université.

Parmi les événements chocs de l'été, il y eut les grèves de mineurs qui embrasèrent le pays. La classe ouvrière cessait d'être une marionnette docile, effrayée, et je veux croire que cela ne reviendra pas.

Bien sûr, il reste beaucoup de Soviétiques terrorisés, las, considérant les dirigeants avec effroi, car la peur est inscrite dans nos gènes. Des travailleurs redressent cependant la tête, et ils sont chaque jour plus nombreux. Ce sont eux qui ont pris la direction des comités de grève, entraînant à leur suite des milliers, des dizaines de milliers de mineurs.

La réaction de Moscou fut, pour une fois, rapide et nette. Deux jours durant, peut-être, la presse évoqua les revendications des grévistes à sa manière habituelle, conjuguant harcèlement et agacement, puis, d'un coup, toutes les tribunes, toutes les colonnes des journaux se mirent à exprimer un soutien inconditionnel aux ouvriers. Il est clair que la situation eût été très différente si une seule région avait été touchée par la grève. L'unité des mineurs de l'ensemble du pays assura le succès de leur action.

Ryjkov, malheureusement, ne sut pas, avec sa nouvelle équipe, profiter pleinement de cette occasion. Il avait alors une chance réelle de briser l'échine de l'administration. Le Soviet suprême et l'opinion étaient prêts à envisager des réformes économiques radicales. Là encore, cependant, on se contenta de demi-mesures, on tenta de résoudre les problèmes d'une seule catégorie de population...

La création du Groupe interrégional fut un autre événement auquel je pris une part active.

Les 29 et 30 juin 1989 entreront, je crois, dans l'histoire de la formation de notre société. Ils auront été marqués par la première réunion du Groupe, à la maison du Cinéma, à Moscou. C'en était bien fini de l'unanimité et de la pensée monolithique. La rencontre eut lieu, malgré les pressions sans précédent exercées sur les députés, malgré l'impossibilité d'obtenir une des innombrables salles du Kremlin, malgré les tentatives de nous faire passer pour schismatiques, fractionnaires, dictateurs et j'en passe : il est impossible de citer toutes les insultes qui nous furent lancées.

Pourquoi une telle entreprise? Parce que la situation du pays frise la catastrophe et qu'on ne pourra le sauver avec des demi-mesures, de petits pas prudents. Seuls des changements décisifs, radicaux, sont susceptibles de nous tirer de l'abîme. Nous nous sommes efforcés de rassembler dans les thèses et la plate-forme du Groupe interrégional le programme préélectoral des députés progressistes, les meilleures idées pour sortir de l'impasse. Cinq coprésidents furent élus à la tête du Groupe : I. Afanassiev, Eltsine, Palm, Popov, Sakharov.

Je ne souhaite guère théoriser dans ce livre. Mais peut-être le moment est-il venu d'exposer en quelques mots les positions que je défends et que partagent de nombreux députés, membres du Groupe interrégional.

La droite et la gauche, ou ce que l'on appelle ainsi, divergent sur peu de points fondamentaux. Le principal est sans doute la question de la propriété. Admettre la propriété privée entraînerait l'effondrement du grand bastion sur lequel repose le monopole d'État, et tout ce qui y est lié : le pouvoir, l'aliénation de l'homme et de son travail. La deuxième question, celle de la terre, n'est pas moins importante. Le mot d'ordre « La terre aux paysans! » est plus actuel aujourd'hui qu'il y a soixante-dix ans. On ne pourra nourrir le pays que le jour où les terres appartiendront à des propriétaires. Viennent ensuite la décentralisation du pouvoir, l'autonomie financière des républiques et leur réelle souveraineté. Cela permettrait de régler nombre d'aspects de la question des nationalités. Il faut envisager la suppression de toutes les limites à l'indépendance économique, financière, administrative des entreprises et des collectifs de travail. L'assainissement des finances du pays dépend directement des mesures que je viens d'évoquer : propriété privée, cession de la terre, autonomie des régions. Mais il faut également envisager une politique financière particulière, permettant d'éviter l'effondrement définitif du rouble.

Je ne m'étendrai pas sur ce problème. Le Groupe interrégional compte d'excellents économistes, tels Chmeliov et Popov, qui ont élaboré un ensemble d'actions à caractère d'urgence pour nous tirer d'affaire. On ne suit malheureusement pas leurs conseils.

On peut se demander pourquoi je n'ai jamais pris fait et cause pour le multipartisme. Tout simplement parce que l'existence de différents partis ne résout rien. Il y en avait en Tchécoslovaquie, en Allemagne de l'Est, ce qui n'a pas empêché le socialisme d'y être, jusqu'à ces derniers temps, un socialisme de caserne, stalino-brejnévien. En Corée du Nord également, on trouvait de nombreux partis.

Nous avons encore bien du chemin à parcourir avant d'en arriver là. Je noterai d'ailleurs, à ce propos, que notre monopartisme relève de la fiction. Nous n'avons pas un parti, « invicible et uni ». Si des gens aussi différents que Iouri Afanassiev et Victor Afanassiev, Eltsine et Ligatchev, le député Samsonov et le député Vlassov sont tous membres du P.C.U.S., alors que leurs positions et leurs actions sont aux antipodes, c'est que nous n'avons plus aucune notion de rien et que nous avons oublié ce qu'est le parti. Je propose qu'on adopte au plus vite une loi, faisant du parti une composante de la société, et garantissant aux citoyens la liberté de se constituer en organisations sociales et en partis. Ce qui implique de supprimer l'article 6 de la Constitution concernant le rôle dirigeant du P.C.

Les relations avec l'Église constituent un autre aspect important. Pour moi, Staline a réussi à créer le seul État au monde capable de mettre à genoux jusqu'à l'Église. Celle-ci, avec d'immenses difficultés, reprend peu à peu ses esprits, après des dizaines d'années de coups terribles. Ce que nous lisons aujourd'hui, dans les journaux, concernant un passé récent, sur les prêtres, par exemple, dénonçant leurs paroissiens aux organes du parti et au K.G.B., ou le refus actuel d'enregistrer les fidèles de rite catholique grec [1], témoigne moins de la chute de l'Église que du fait que lorsqu'une société est malade, tous ses membres sont contaminés. Le temps viendra, j'en suis sûr, où l'Église portera secours à la société, grâce à ses valeurs éternelles, des valeurs qui sont celles de toute l'humanité. Car les mots : « Tu ne tueras point », ou « Aime ton prochain comme toi-même » sont autant de principes moraux qui nous aideront à surmonter les situations les plus critiques. La liberté de conscience figure dans notre Constitution. Nous savons, cependant, ce qu'il en est dans la réalité. Cet article de la Constitution restera une fiction tant que des réformes politiques et économiques ne seront pas effectuées dans le pays. Tant que l'homme ne deviendra pas la grande valeur de la société. Tant que la grande valeur de notre système bureaucratique demeurera, au contraire, l'État. C'est lui que nous servons. J'espère, quoi qu'il en soit – je fais et ferai tout pour cela –, qu'il ne nous reste plus que quelques mois, quelques semaines, quelques jours à assurer ce service...

En ce qui concerne le K.G.B., l'armée et le ministère de l'Intérieur, les choses sont à peu près claires. Ces organisations ont toujours été le rempart de l'État. Dans un système totalitaire, leur rôle et leur puissance s'en trouvent accrus d'autant. Aucun de ces organes n'a été touché par le souffle du changement. Bien plus, le président du

1. Les choses ont évolué dans un sens probable depuis que ce livre a été écrit.

K.G.B., à la surprise générale, a été admis au sein du Politburo, sans être membre suppléant. Cette façon de perpétuer la vieille tradition de collision entre les hautes sphères du parti et les organes de sécurité, a choqué tout le monde. A l'heure de la perestroïka et de la glasnost, Gorbatchev aurait dû, par simple tact et bon sens, éviter de donner la place principale à ce qui n'était qu'un simple comité d'État parmi d'autres. Mais la soif de pouvoir et la peur de le perdre sont plus fortes que la logique et la raison. Le K.G.B. devait être là, afin de veiller sur les intérêts du parti; il fallait avoir Krioutchkov sous la main.

J'imagine quelle lutte terrible, pénible, nous attend, pour l'avenir de l'armée et du K.G.B. Nous n'avons pas même amorcé une tentative de réformer ces structures capitales de l'État. Nous manquons encore de forces. Aux simples mots d'armée et de K.G.B., l'envie nous prend malgré nous de nous mettre au garde-à-vous. A tout hasard. Ce sentiment de peur existe en chacun d'entre nous. Ce qui explique que les responsables de ces deux institutions ne se tracassent guère et ignorent, avec la plus parfaite désinvolture, les revendications des députés qui réclament la transparence de leurs budgets. Ces organes n'ont pas la moindre intention de donner des détails sur leur fonctionnement et leur action, ce qui rend vain tout projet de réduire, de limiter leur fonction, leur poids, leur rôle...

Je place d'abord mon espoir dans l'évolution de la société. Il est clair que le K.G.B. et l'armée auront du retard sur elle, mais il leur faudra tenter de saisir les processus en cours dans le pays et de les rattraper. Je compte aussi sur les gens eux-mêmes. L'armée, comme le K.G.B., n'est pas faite de soldats de plomb, mais d'individus bien vivants. Une nouvelle génération de militaires prend aujourd'hui la relève, qui ne supporte plus le style vieil adjudant, la docilité bête, le manque de professionnalisme. Il est clair qu'elle ne se pliera pas aux anciens usages.

La glasnost, l'ouverture sont le salut de l'armée et du K.G.B. Et tous ceux qui tiennent à la perestroïka, lutteront dans ce sens. Quant à l'avenir de ces institutions, ce n'est pas un problème. L'humanité a déjà mis au point un mécanisme éprouvé de relations avec l'armée et les organes de sécurité, les plaçant au service de la société, et non au-dessus d'elle, les soumettant au Parlement. Je suis partisan d'une armée de métier, de volontaires. Ce n'est que dans ces conditions qu'elle se transformera en mieux. Mais n'entrons pas dans les détails.

Tout cela nous a entraîné très loin du Groupe interrégional. Pourtant, la suite de son histoire est pleine d'enseignement. Alors que siégeait, à de rares moments de liberté, le Comité de coordination du Groupe, alors que les cerveaux bataillaient pour trouver des moyens de sortir de la crise, un autre combat s'engageait, visant à discréditer les membres du Groupe. Dans les journaux, les rencontres avec les électeurs, les réunions de cellule, partout, on racontait que nous étions partis à l'assaut du pouvoir, que nous voulions pousser le pays vers la dictature, que nous étions des opposants, des intellectuels, des bureaucrates coupés du peuple, avec, dans notre immense majorité, un passé obscur...

Une fois de plus, on essayait de substituer à un processus de dialogue, d'échange de points de vue et d'idées – processus naturel et indispensable dans une société rejetant la pensée monolithique –, une lutte contre les individus qui se faisaient les porte-parole de cette approche particulière des problèmes.

Cela s'est produit bien souvent au cours de notre histoire et n'a apporté au peuple que malheurs et souffrances. Il serait temps de comprendre que notre société n'est, heureusement, pas homogène. Les divers groupes sociaux, les diverses couches qui la composent ont des intérêts différents, qui ne concordent pas toujours.

Il serait temps de comprendre que le Groupe interrégional n'est pas un « ramassis d'individus ambitieux qui se ruent vers le pouvoir », mais qu'il exprime l'opinion d'une partie importante de la société, qui considère que la perestroïka s'effectue de façon trop timorée et irrégulière et que nos maux d'aujourd'hui ne viennent pas de ce que nous aurions décidé de soigner un bon socialisme par un mauvais capitalisme. Simplement, confrontés aux premières difficultés dans le processus enclenché pour réformer le socialisme bureaucratique, ou socialisme de caserne, nous avons aussitôt cherché à nous tirer d'affaire en recourant aux vieilles méthodes administratives et autoritaires.

L'essentiel, cependant, est acquis. Le Groupe fonctionne, il met au point des stratégies, des projets concrets d'évolution pour notre société. Et comme s'y trouvent réunis les meilleurs esprits parmi les députés, tôt ou tard le peuple s'y ralliera.

Peu après l'achèvement des travaux du Groupe, commencèrent de brèves vacances parlementaires. A la mi-septembre, je partis pour l'Amérique. Un court séjour d'une semaine, qui devait faire couler beaucoup d'encre.

J'avais été invité par plusieurs organisations sociales, des universités, une série d'hommes politiques – j'avais été sollicité une quinzaine de fois. Le voyage devait durer deux semaines, mais le Comité central ne m'accorda que huit jours d'absence. Pour les organisateurs, c'était une catastrophe, et ils me demandèrent de faire en sorte de respecter le programme, d'assurer la plupart des rencontres, des conférences, etc. A l'école, puis à l'institut, j'avais étudié le postulat de l'exploitation de l'homme par l'homme en système capitaliste. Là, en Amérique, j'ai su ce que cela voulait dire. Je dormais deux ou trois heures par nuit, passais sans cesse d'un état à l'autre, avec, quotidiennement, de cinq à sept rencontres et interventions. Au total, j'ai parcouru neuf États, visité onze villes. Je n'ai repris mes esprits que dans l'avion qui me ramenait à Moscou. Je rêve aujourd'hui de retourner en Amérique, mais d'y séjourner tranquillement et non de m'y trouver comme dans un film accéléré, de prêter attention à des détails pour lesquels le temps m'a manqué.

On a beaucoup écrit sur mon voyage, tant aux États-Unis que chez nous. Il n'est pas utile que je m'étende. J'ai eu beaucoup de rencontres intéressantes, à commencer par mon entrevue avec le président Bush. J'ai pu aussi parler, dans les rues, avec de simples citoyens. Quitte à ce que cela semble banal, je dois dire que ceux-ci m'ont laissé l'impression la plus marquante, car ils rayonnaient d'optimisme, de foi en eux-mêmes et en leur pays. J'ai eu, bien sûr, d'autres chocs, ne serait-ce que ma visite d'un supermarché... Quand j'ai découvert ces rayons croulant sous des centaines, des milliers de produits, de boîtes, j'ai eu mal pour ma patrie, pour nous. Il est effroyable qu'on ait pu réduire à cet état de misère une terre aussi riche que la nôtre.

Il avait été entendu avec les organisateurs que je toucherais des honoraires pour mes conférences dans les universités. Le dernier jour, il apparut qu'une fois déduits les frais de séjour de notre groupe, constitué de quatre personnes, j'avais à ma disposition la somme de cent mille dollars. Je décidai, dans le cadre de la campagne anti-sida, d'acheter des seringues jetables. Une semaine plus tard, un premier lot de cent mille seringues arrivait à Moscou, dans onze hôpitaux pour enfants. Tout l'argent y passa, jusqu'au dernier cent : je pus ainsi acheter un million de seringues.

Si je relate cet épisode, c'est parce qu'au moment où je

signais l'ordre d'achat, on livrait, dans les kiosques de Moscou, le numéro de la *Pravda* reprenant l'article qu'un journal italien consacrait à mon séjour américain. Il y apparaissait que j'avais passé une semaine sans dessaouler, le journaliste indiquait même la quantité d'alcool que j'avais consommée. Je dois dire qu'il manquait d'imagination : il y avait juste de quoi faire rouler sous la table un pauvre Occidental! On ajoutait qu'il était vain d'attendre des seringues à Moscou : j'avais dépensé mon argent en magnétoscopes, cassettes vidéo et cadeaux personnels, tels que des costumes, des chemises blanches, des chaussures, un tas de babioles. Je n'avais pas quitté les magasins, incapable de dire autre chose que : « Je veux ça! Et ça! Et ça! » Bref, à en croire l'article, habilement repris dans la *Pravda*, j'avais tout de l'ivrogne ordinaire, de l'ours russe mal élevé se retrouvant, pour la première fois, dans le monde civilisé.

Je savais que mon voyage soulèverait une tempête au sommet. Je soupçonnais qu'on tenterait de me compromettre. Mais que mes détracteurs tombent si bas, qu'ils montrent un tel degré de bêtise et recourent à des mensonges aussi grossiers, j'avoue que cela ne m'avait pas effleuré.

La réaction des Moscovites et de nombreuses personnes dans le pays tout entier, fut unanime. Je reçus des milliers de télégrammes de soutien. Une fois de plus, la provocation fit long feu.

Mes ennemis invisibles ne s'en tinrent pas là. Quelque temps plus tard, la télévision annonça – ce qui est très rare – que le programme « Vremia [1] » diffuserait une émission d'une heure et demie sur mon voyage aux États-Unis. Le clou du spectacle – ce pour quoi on avait monté toute l'affaire – était ma rencontre avec les étudiants et les enseignants de l'université John Hopkins. Je l'ai dit, j'avais un emploi du temps effrayant, j'étais épuisé, je dor-

1. « Le temps. »

mais peu, et le décalage horaire permanent n'arrangeait rien. J'atteignis un tel degré de fatigue qu'arrivé tard dans la nuit en avion, je pris deux somnifères et m'écroulai. Deux heures plus tard, il fallut me réveiller : j'avais une rencontre officielle à sept heures du matin et je parlais à l'université à huit heures. J'étais incapable de me lever. Je demandai qu'on annule la rencontre. On me répondit que c'était impossible, cela ferait un scandale, mes hôtes ne s'en remettraient pas. C'est ainsi que, rassemblant tout mon courage, vidé, je me rendis au premier rendez-vous, puis au second. La suite fut plus facile : la machine fonctionnait à nouveau et le somnifère avait cessé de faire effet. C'est bien sûr, parmi des dizaines d'autres, cette conférence que l'on choisit de montrer à la télévision soviétique. On se demande, d'ailleurs, d'où sortait le film. Encore que la réponse ne soit pas très difficile à trouver.

Des techniciens très particuliers avaient effectué un montage vidéo, ralentissant ici, d'un quart de seconde, mes réactions, étirant là mes paroles, la moindre syllabe que je prononçais. J'en fus informé par des ingénieurs d'Ostankino. Ils adressèrent même une lettre à la commission chargée d'enquêter sur l'éclairage donné à mon voyage par la presse. Il va de soi que personne ne prit la peine de vérifier, de tirer au clair l'histoire, pourtant criante, de la bande film. Le but visé était atteint; des gens, peu nombreux, certes, mais il y en avait, se demandaient, ébranlés : et s'il était vraiment ivre?... Je jugeai déplacé de tenter de m'expliquer, de me justifier.

Ce fut pour moi une leçon supplémentaire. Avec ce système qui déversait sur moi sa haine, qui suivait le moindre de mes gestes, je ne pouvais relâcher mon attention un seul instant. Si j'avais su qu'on continuerait de m'épier jusque sur un autre continent, j'aurais... Qu'aurais-je fait, d'ailleurs? Aurais-je renoncé à prendre des somnifères? Certainement pas, je n'aurais pas tenu le coup sans dormir. Aurais-je, alors, annulé mes rendez-vous? C'était, là encore, impossible. Le plus sûr aurait été de refuser ce forcing. J'y songerai à l'avenir.

Un autre incident survint peu après, qui me porta un coup autrement plus terrible. Une fois de plus, il s'agissait d'une provocation parfaitement organisée.

A la suite d'une rencontre avec des électeurs, je me rendis en voiture chez un vieil ami de Sverdlovsk qui se trouvait alors dans sa datcha aux environs de Moscou, dans un hameau appelé Ouspenskoïé. Non loin de sa maison, je renvoyai mon chauffeur, comme souvent, afin de parcourir quelques centaines de mètres à pied. La Volga disparut. J'avais à peine avancé de quelques mètres qu'une autre voiture se montra. Et je me retrouvai dans la rivière!... Je ne laisserai pas ici libre cours à mon émotion. Ce que j'ai vécu, à cet instant, n'a pas lieu d'être raconté dans ce livre.

L'eau était terriblement froide. Mes jambes étaient prises de crampes et j'eus du mal à nager jusqu'à la rive, pourtant toute proche. Une fois hors de danger, je m'écroulai sur le sol et demeurai ainsi un certain temps, à reprendre mes esprits. Puis je me relevai, grelottant de froid, il ne devait guère faire plus de zéro degré. Je compris que je n'arriverais pas jusqu'à la maison et gagnai, comme je pus, le poste de la milice proche.

Les miliciens de garde me reconnurent aussitôt. Je leur déclarai tout de go qu'il n'était pas question d'en parler à quiconque, et ils ne me posèrent pas de questions. Ils m'offrirent du thé que je bus en faisant, tant bien que mal, sécher mes vêtements, furieux qu'on « en soit arrivé là », mais je ne donnai pas d'explications. Bientôt ma femme et ma fille me rejoignirent et, en partant, je priai à nouveau les miliciens d'observer la plus entière discrétion sur ce qui s'était passé.

Pourquoi? me demanderez-vous. J'imaginais aisément la réaction de gens qui supportaient difficilement les provocations morales dont j'étais l'objet, et qui n'auraient pas accepté sans broncher que l'on attente ainsi à mes jours. En signe de protestation, Zelenograd [1] pouvait être paralysée – or, la plupart des entreprises y étaient liées à la défense, à l'électronique ou à la recherche scientifique; Sverdlovsk aussi aurait débrayé – et les usines militaires y sont encore plus nombreuses; la moitié de Moscou se serait mise en grève... Ensuite, il eût été facile, puisque ces grèves auraient touché des points stratégiques, de décréter l'état d'exception dans le pays. On aurait ainsi instauré un « ordre éternel, idéal ». La perestroïka aurait pu trouver sa « belle mort » dans l'histoire, rien que parce que Eltsine aurait cédé à une provocation.

Je peux me tromper. Il n'est pas exclu que mon vieux principe consistant à dire toujours et partout la vérité, à ne rien cacher aux gens, ait pu, là encore, fonctionner. C'est d'ailleurs ce qui devait le plus frapper mes électeurs : pour une fois, je dissimulais quelque chose, je n'étais pas complètement franc...

Je pensais qu'ils comprendraient par eux-mêmes, qu'ils s'y retrouveraient. Surtout quand le ministre de l'Intérieur, Bakatine, déclara à la session du Soviet suprême, que je n'avais été victime d'aucun attentat et qu'il donna, pour le prouver, une information falsifiée. Je fus alors persuadé que le peuple saurait bien deviner le fin mot de l'histoire. Bakatine induisait les gens en erreur même quand il s'agissait de faits aisément vérifiables. Il affirmait, par exemple, que si la victime avait effectivement été jetée d'un pont, elle n'en aurait pas réchappé, car elle serait tombée quinze mètres plus bas. Or, le pont n'était qu'à cinq mètres de hauteur. Il importe, pour que les propos de Bakatine aient quelque vraisemblance, de construire d'urgence un nouveau pont, plus haut de dix

1. Ville de la région de Moscou.

mètres que l'ancien. Seulement, personne ne veut s'y atteler. Même pour discréditer Eltsine.

Curieusement, j'étais convaincu que les gens percevraient les multiples absurdités et incohérences de la version présentée par le responsable du ministère de l'Intérieur, qu'ils comprendraient ce qui m'était vraiment arrivé. Et surtout, qu'ils saisiraient pourquoi, à la session, j'avais déclaré que l'on n'avait pas attenté à mes jours.

Je dois pourtant admettre que cette provocation a réussi, alors. Mes innombrables partisans m'informèrent, affolés, que ma popularité chutait. Le terrain était favorable à une nouvelle calomnie : on fit courir le bruit que je me rendais dans la datcha de ma maîtresse et que celle-ci m'avait renversé un seau d'eau sur la tête! Des inepties, naturellement, mais plus les ficelles sont grosses, plus on y croit facilement. Et puis, les gens aiment bien entendre des histoires de ce genre : ah, ah, pensent-ils, le chantre de la perestroïka s'est amouraché d'une bonne femme, et il a perdu la raison!...

Pourtant, la baisse de mon indice de popularité, comme disent nos sages sociologues, ne m'affecta pas outre mesure. Je demeure convaincu que tout rentrera dans l'ordre, que cette affaire stupide ne pourra saper définitivement la confiance de ceux qui, aujourd'hui, doutent. Au bout du compte, c'est aux actes qu'on juge, aux résultats, et non en se fondant sur d'absurdes légendes.

Après mon bain forcé dans l'eau glacée, je fus sérieusement malade deux semaines durant : j'avais pris froid, mes poumons étaient atteints. Je suivis une partie de la session à la télévision. C'était un spectacle vraiment triste. Surtout pour qui connaissait la situation dans laquelle se trouvait le pays et combien il était important de prendre sans délai des mesures radicales, qui nous laissent une chance de sortir de la crise. Mais on tarde toujours à y recourir, l'adoption des lois essentielles est repoussée *sine die*, et nous glissons de plus en plus vers le point de non-retour.

Je me souviens qu'au premier Congrès des députés du peuple, Iouri Afanassiev avait qualifié le Soviet suprême nouvellement élu de « stalino-brejnévien ». Malgré tout le respect que je porte à l'auteur de cette formule choc, je ne peux être d'accord avec lui. Notre Soviet suprême n'est pas « stalino-brejnévien » : l'expression est trop forte, ou trop faible. Il est gorbatchévien. Il est l'exact reflet de l'inconséquence, de la pusillanimité, de l'amour des demi-mesures, des semi-décisions, qui caractérisent notre président. Comme lui, il est toujours en retard sur les événements. Cela explique que nombre de lois à caractère d'urgence n'aient pas été adoptées.

Alors que la session d'automne s'achevait, le socialisme totalitaire s'effondra dans quatre pays où il avait été imposé par Staline après la guerre. Comme pour tourner en dérision nos quatre dures années de perestroïka, en quelques jours l'Allemagne de l'Est, la Tchécoslovaquie, la Bulgarie, puis la Roumanie ont brutalement rompu avec le passé, gagnant d'un bond le monde normal, humain, civilisé. A tel point qu'on peut se demander aujourd'hui si nous les rattraperons un jour. La destruction du mur de Berlin, les nouvelles règles concernant la libre circulation à l'étranger, les lois sur la presse et les organisations sociales, l'abolition des articles de la Constitution garantissant le rôle dirigeant du parti communiste, la démission du Comité central, la réunion de congrès extraordinaires du parti, la condamnation de l'intervention en Tchécoslovaquie – autant de choses qui auraient dû être décidées chez nous il y a quatre ans; alors que nous piétinons et que si nous nous risquons à avancer d'un petit pas, aussitôt, effrayés, nous reculons de deux.

Je suis heureux que nos voisins des pays socialistes connaissent de tels changements. Heureux pour eux. Mais il me semble que cela nous oblige à considérer d'un autre œil ce que nous appelons si fièrement la perestroïka. Peut-être comprendrons-nous que nous sommes désormais presque le seul pays au monde à prétendre aborder le XXIe siècle avec une idéologie désuète, datant du XIXe. Nous sommes les derniers habitants de ce pays du socialisme qui a « triomphé de nous », pour reprendre l'expression d'un homme intelligent.

... Un mot encore sur les derniers événements. Le bruit court à Moscou que le prochain plénum sera le théâtre d'une révolution. On s'apprêterait à démettre Gorbatchev de ses fonctions de Secrétaire général du Comité central, ne lui laissant que la direction des députés du peuple. Je n'y crois guère, mais si cela devait se produire, je me battrai au plénum en faveur de Gorbatchev, mon éternel adversaire, amateur de demi-mesures. Il est clair que cette tactique le perdra, s'il ne prend pas conscience à temps de son erreur. Pour l'instant cependant, du moins jusqu'au prochain Congrès où apparaîtront peut-être de nouveaux leaders, il est seul capable d'empêcher le parti de s'effondrer définitivement.

Notre droite, malheureusement, ne le comprend pas. Elle considère qu'on ne pourra ramener l'histoire en arrière par un simple vote mécanique, à l'unanimité.

Ces rumeurs sont, bien sûr, symptomatiques. Notre immense pays se trouve actuellement sur le fil du rasoir. Et nul ne sait de quoi demain sera fait.

Le lecteur de ce livre aura plus de chance que moi. Il saura déjà, en l'ouvrant, ce qui sera advenu, où j'en serai, ce qui me sera arrivé.

A moi et à notre pays. A nous tous...

GLOSSAIRE

Collectifs de travail : désignent l'ensemble des travailleurs d'une usine, d'une fabrique, d'une entreprise quelconque. Ils élisent des représentants (le plus souvent du parti, bien que ce ne soit pas une obligation) lorsqu'il importe de débattre d'une question précise.

Comité central : il élit le Politburo et le secrétariat, les deux autres organes dirigeants du parti communiste.

Comité du parti : voir schéma d'organisation du parti, p. 279.

Comités exécutifs : élus par les soviets pour assurer l'exécutif.

Commission de contrôle du parti : ses membres sont choisis par le Congrès du parti. Elle est chargée de veiller à la pureté idéologique et à la bonne moralité des membres du parti.

Commissions électorales : mises en place, pour filtrer les candidatures, avant les élections au Congrès des députés du peuple.

Congrès des députés du peuple : sa création fut annoncée à la XIXe conférence du parti. Il doit être élu tous les cinq ans. Composé de 2 250 députés, il est chargé d'élire un organe permanent d'une plus grande autorité, le Soviet suprême d'U.R.S.S. de 400 à 450 membres. Il est investi d'un pouvoir d'orientation et de délibération plus que de décision.

Congrès du parti : il se réunit *en principe* tous les quatre ans. Formé des délégués de toutes les instances locales, il est chargé d'élire le Comité central et de définir la politique du parti.

Conseil des ministres : désigné par le Soviet suprême, dont il applique les décisions, ainsi que celles du Praesidium. Possédant un pouvoir hiérarchique sur ses homologues des républiques fédérées, il se compose d'un président du Conseil, de vice-présidents, de ministres, de présidents de comité d'État, dont celui du Plan (Gosplan)...

Dékoulakisation : politique lancée par Staline à la fin de 1929, visant à collectiviser les campagnes et à « liquider les koulaks en tant que classe ». Elle devait ruiner l'agriculture et démanteler la paysannerie russe.

École supérieure des jeunesses communistes : une des plus importantes, avec celle du parti. Elle forme les futurs cadres de l'organisation des Jeunesses communistes.

Gosplan : comité d'État chargé de la planification.

Groupe interrégional : créé le 30 juillet 1989, il s'agit d'un groupe parlementaire indépendant qui réunit plus de trois cents députés. Son nom a été choisi pour souligner que les élus de Moscou, plus radicaux qu'ailleurs, n'y forment pas la majorité.

Héros du travail socialiste : la récompense suprême pour le travail (équivalent du titre de Héros de l'Union soviétique pour l'armée). Le Héros du travail socialiste se voit décerner une faucille et un marteau en or, ainsi que l'ordre de Lénine.

Ministres : très nombreux dans le système soviétique. Chargés de tous les secteurs possibles et imaginables. Plus d'une centaine récemment encore, ils viennent d'être réduits à quatre-vingts environ.

Organisations de base du parti : ce sont les cellules créées sur le lieu de travail : usines, administrations, sovkhozes, kolkhozes, unités de l'armée, établissements universitaires, etc.

Organisations sociales : désignent le parti, les syndicats, l'Académie des sciences, les Jeunesses communistes, les unions artistiques, les organisations de femmes, de vétérans du travail, etc. Elles devaient jouer un rôle important au moment de la campagne pour l'élection au Congrès des députés du peuple. (Voir : *Réunion électorale*).

P.C.U.S. : Organisation du parti communiste d'Union soviétique : voir organigramme ci-contre.

Pionniers : « filiale » des Jeunesses communistes, l'organisation des pionniers regroupe les enfants de neuf à quatorze ans.

Plénum : assemblée plénière. Le plénum du Comité central se réunit en principe deux fois par an.

Politburo : Bureau politique. Il est chargé, entre les plénums, de diriger le travail du parti. Ses procès-verbaux restent secrets. Le Politburo élit le Secrétaire général, chef suprême du pays qui, à son tour, préside les réunions du Bureau politique.

Praesidium : composé d'un président, de quinze vice-présidents (un par république fédérée), d'un secrétaire et de vingt autres membres, tous élus par les deux assemblées du Soviet suprême, le Praesidium assure dans l'intervalle de sessions du Soviet suprême les fonctions de ce dernier. Il possède des pouvoirs fort

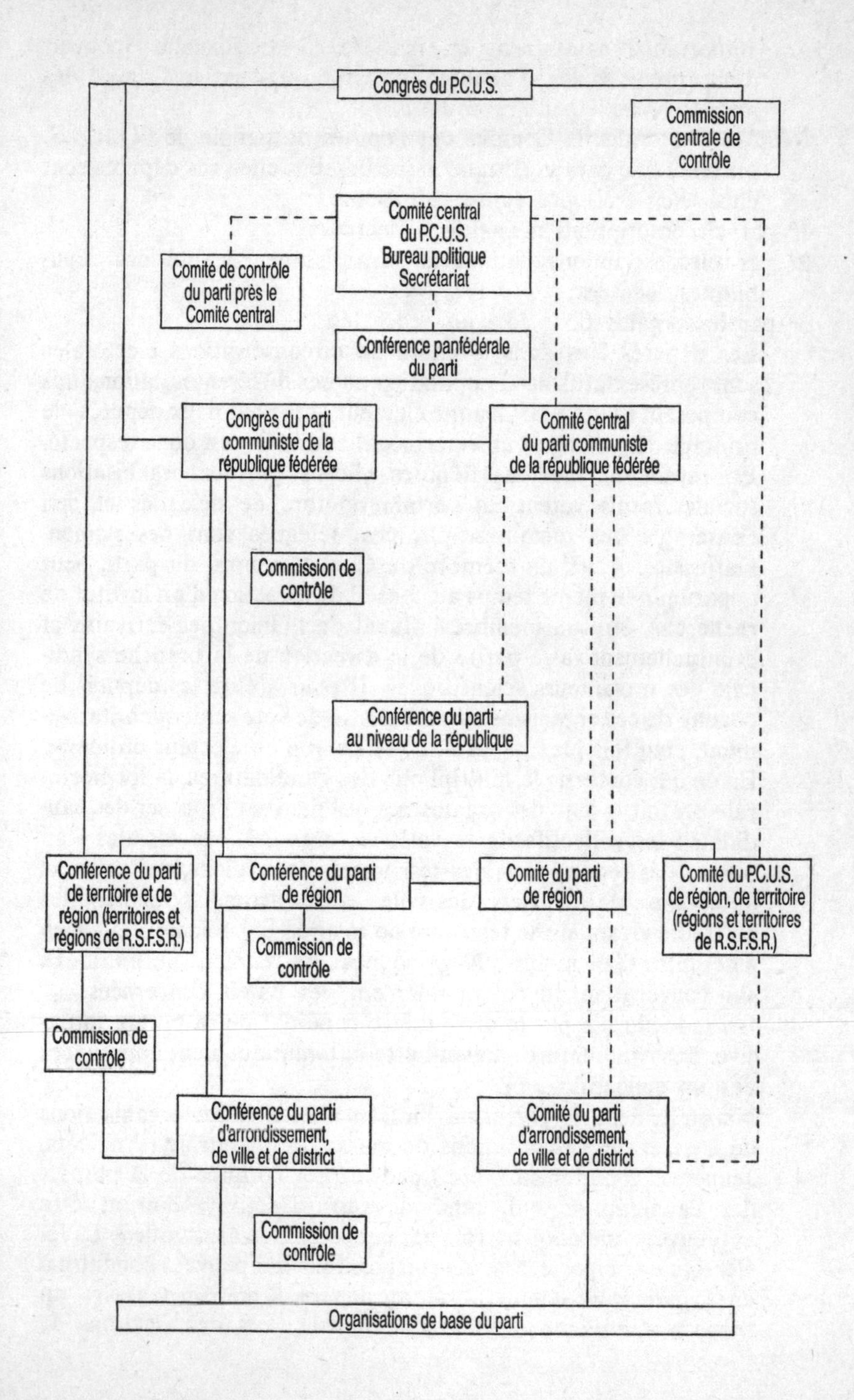
Congrès du P.C.U.S.
Commission centrale de contrôle
Comité central du P.C.U.S. Bureau politique Secrétariat
Comité de contrôle du parti près le Comité central
Conférence panfédérale du parti
Congrès du parti communiste de la république fédérée
Comité central du parti communiste de la république fédérée
Commission de contrôle
Conférence du parti au niveau de la république
Conférence du parti de territoire et de région (territoires et régions de R.S.F.S.R.)
Conférence du parti de région
Comité du parti de région
Comité du P.C.U.S. de région, de territoire (régions et territoires de R.S.F.S.R.)
Commission de contrôle
Commission de contrôle
Conférence du parti d'arrondissement, de ville et de district
Comité du parti d'arrondissement, de ville et de district
Commission de contrôle
Organisations de base du parti

importants, notamment en matière juridictionnelle : pouvoir d'interpréter la loi, d'annuler les arrêts pris par le Conseil des ministres, qu'il peut révoquer...

Réunion électorale : le Congrès des députés du peuple de l'U.R.S.S. présente une caractéristique assez inhabituelle : ses députés sont élus selon trois procédures différentes :

1° par circonscriptions à égalité d'électeurs ;

2° par circonscriptions nationales garantissant l'égalité des républiques fédérées ;

3° par les organisations sociales fédérales.

Les députés élus dans le cadre de circonscriptions électorales sont représentatifs de la population ou des différentes nationalités composant l'U.R.S.S. Chaque électeur vote pour deux députés : le principe du suffrage « universel, égal et direct » est donc respecté. En revanche, pour les députés choisis par les organisations sociales, seuls votent un certain nombre de délégués et non l'ensemble des membres. Or, ces délégués sont des nomenklaturistes. Ainsi, un membre du Comité central du parti, peut appartenir en même temps au conseil de direction d'un institut de recherche, être un membre influent de l'Union des écrivains et éventuellement faire partie de la direction de la branche syndicale des travailleurs scientifiques. Il pourra élire les députés de chacun de ces organismes. Son bulletin de vote sera, quantitativement, cinq fois plus important que celui d'un électeur ordinaire. En ce qui concerne la multiplicité des candidatures, la loi électorale prévoit la liste des organismes qui peuvent proposer des candidats : les collectifs de travail ; les organisations sociales « au niveau des républiques, des territoires, des régions, des districts autonomes, des districts, des villes et des arrondissements » ; les électeurs vivant sur le territoire de la circonscription et réunis en assemblée d'au moins 500 personnes ; les réunions de militaires sur convocation du commandement des unités concernées.

Un individu n'a pas le droit d'être candidat de sa propre initiative. Les candidatures doivent être automatiquement approuvées par un collectif.

Naturellement, le parti, par l'intermédiaire de ses organisations de base et des organisations de masse qu'il contrôle (syndicats, Jeunesses communistes, etc.) peut être à l'origine de la plupart des candidatures qui, pour devenir effectives, doivent être approuvées une dernière fois par une « réunion électorale ». La loi électorale comporte donc des dispositions qui peuvent conduire à une candidature unique là où, au départ, il pouvait y avoir « un nombre illimité de candidats ». En fait, lors des élections de mars-avril 1989, dans le tiers des circonscriptions, les « réunions électorales » ont « désigné » des candidats uniques.

Secrétariat du Comité central : composé d'une douzaine de membres, il a pour rôle de diriger le travail courant, en particulier le recrutement des cadres et d'organiser le contrôle de l'exécution. Le Secrétariat est en fait l'organe le plus important, et le Secrétaire général le personnage le plus puissant de l'Union soviétique, bien que le principe de la direction collective soit affirmé.

Sections industrielles : sections du Comité central, composées de fonctionnaires de l'appareil et plus spécialement chargées de tel ou tel domaine de la vie du pays (industrie, construction, etc.).

Soviets : les organes locaux du pouvoir sont les soviets de députés des travailleurs de territoire, de régions, d'arrondissements nationaux, de districts, de villes, de localités rurales. Selon M. Gorbatchev, par excès de pouvoirs, le parti n'exerce plus véritablement son rôle dirigeant. Il convient donc d'établir clairement le partage des compétences et des responsabilités entre les organes de l'État, c'est-à-dire les soviets, et le parti afin de le décharger des problèmes de gestion et de lui épargner l'impopularité que lui vaut cette responsabilité.

Soviet suprême : il possède le pouvoir législatif à l'échelle de tout le pays. Il se compose de deux Chambres : le Soviet des Nationalités et le Soviet de l'Union. Il est désormais élu par le Congrès des députés du peuple. Les élections de 1989 ont donné lieu à certains incidents. Peu rompus aux manœuvres de couloirs, les députés « progressistes » se sont retrouvés presque tous écartés du Soviet suprême et il a fallu une astuce de dernière heure pour repêcher Boris Eltsine, le vainqueur du scrutin de Moscou, victime de la règle des quotas des républiques et des régions, des intrigues locales... Un député de Kazan, élu au Soviet des nationalités, a souhaité se retirer au profit de Boris Eltsine. Une demi-heure plus tard, après un court débat sur la légalité de la procédure, Boris Eltsine devenait formellement membre du Soviet des Nationalités.

Syndicats : ils participent à l'exécution du Plan, mais s'ils sont consultés, ils ne jouissent pas du pouvoir de décision, qui est entre les mains des instances économiques.

NOTICE BIOGRAPHIQUE DE BORIS NIKOLAÏEVITCH ELTSINE

Né le 1er février 1931.

1955 : quitte l'Institut polytechnique de l'Oural à Sverdlovsk.

Jusqu'en 1963, travaille dans la construction, toujours dans cette ville située à 1 600 kilomètres à l'est de Moscou.

1961 : rejoint le parti communiste et devient un des hommes de l'appareil sept ans plus tard, à Sverdlovsk.

1976 : premier secrétaire du comité de région. Il le demeurera jusqu'en 1985.

1985 : « monte » à Moscou.

Avril 1985 : se voit confier par Mikhaïl Gorbatchev la section de la Construction au Comité central. A ce titre, est pendant six mois secrétaire du Comité central.

Décembre 1985 : succède à V. Grichine à la tête de l'organisation moscovite du parti, la plus importante du pays.

Février 1986 : à la veille du XXVIIe congrès, devient membre suppléant du Politburo (sans droit de vote), la véritable instance décisionnelle du système.

Octobre 1987 : présente sa démission lors d'une réunion du Comité central. Chassé de Moscou, il l'est ensuite, naturellement, du Politburo. Il est peu après nommé responsable de la Construction, avec rang de ministre. Il reste membre du Comité central.

Mars 1989 : abandonne son poste à la Construction, étant triomphalement élu député de Moscou.

Juin 1989 : nommé président de la commission du Soviet suprême chargée de la Construction et de l'Architecture.

Cet ouvrage a été réalisé sur
Système Cameron
par la SOCIÉTÉ NOUVELLE FIRMIN-DIDOT
Mesnil-sur-l'Estrée
pour le compte des Éditions Calmann-Lévy
le 14 février 1990

Imprimé en France
Dépôt légal : Février 1990
N° d'impression : 13976
N° d'édition : 11571/01